D0589759

ALLÔ, BABOU… VIENS VITE !
ON A BESOIN DE TOI

DU MÊME AUTEUR
CHEZ LE MÊME ÉDITEUR

L'Esprit de famille (tome I)
L'Avenir de Bernadette (L'Esprit de famille, tome II)
Claire et le bonheur (L'Esprit de famille, tome III)
Moi, Pauline ! (L'Esprit de famille, tome IV)
L'Esprit de famille (coffret tomes I à IV)
Cécile, la Poison (L'Esprit de famille, tome V)
Cécile et son amour (L'Esprit de famille, tome VI)
Une femme neuve
Rendez-vous avec mon fils
Une femme réconciliée
Croisière (tome I)
Les Pommes d'or (Croisière, tome II)
La Reconquête
L'Amour, Béatrice
Une grande petite fille
Belle-grand-mère (tome I)
Chez Babouchka (Belle-grand-mère, tome II)
Boléro
Bébé couple
Toi, mon pacha (Belle-grand-mère, tome III)
Priez pour petit Paul
Recherche grand-mère désespérément

CHEZ D'AUTRES ÉDITEURS

Vous verrez, vous m'aimerez, Plon
Trois Femmes et un empereur, Fixot
Une femme en blanc, Robert Laffont
Marie Tempête, Robert Laffont
La Maison des enfants, Robert Laffont
Cris du cœur, Albin Michel
Charlotte et Millie, Robert Laffont
Histoire d'amour, Robert Laffont

Tous les livres cités sont également publiés au Livre de Poche, excepté les romans des éditions Robert Laffont publiés chez Pocket.

Janine Boissard

ALLÔ, BABOU... VIENS VITE ! ON A BESOIN DE TOI

roman

Fayard

© Librairie Arthème Fayard, 2004.

La Chêneraie

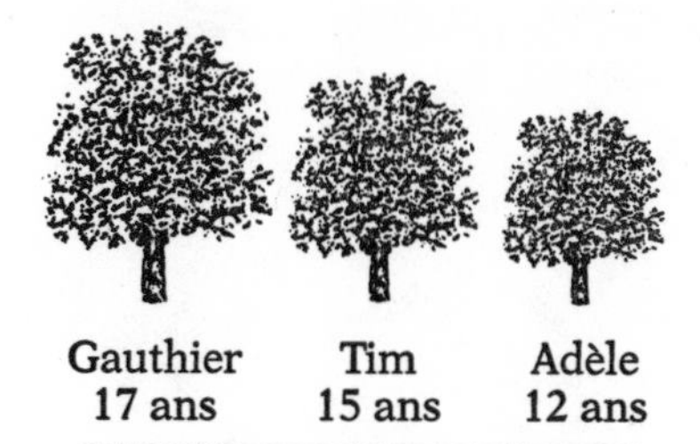

Gauthier
17 ans

Tim
15 ans

Adèle
12 ans

Audrey / Jean-Philippe

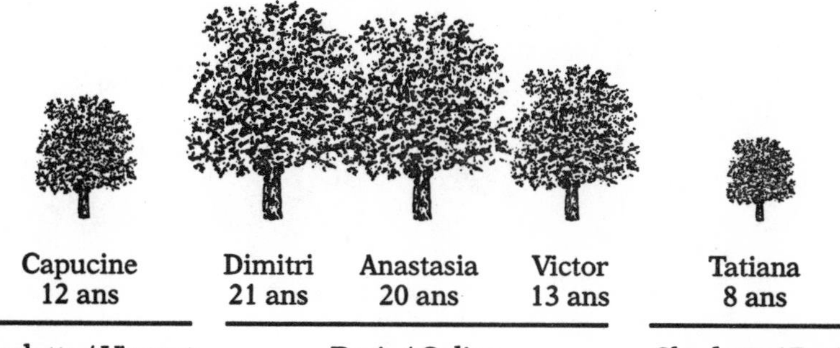

Capucine
12 ans

Charlotte / Vincent

Dimitri
21 ans

Anastasia
20 ans

Victor
13 ans

Boris / Galina

Tatiana
8 ans

Charlotte / Boris

Justino
14 ans

Thibaut, veuf d'Estrella

PREMIÈRE PARTIE

TROIS GARÇONS ET UNE PIE

1

Jeudi, jour des grands-mères – je dis ça comme ça –, mon jour de liberté.

Grégoire a filé en fin de matinée à Caen rejoindre ses vieux loups de mer à leur club de Scrabble. Festin à midi trente et, après, au boulot : la ronde des mots. Moi, je me suis contentée d'un œuf et d'une pomme et, après, au boulot également : la ronde des couleurs.

Ce soir, mon Pacha me reviendra en se massant l'estomac et en déclarant que, pour le dîner, une verveine sans sucre lui suffira. Le jeudi est aussi son jour de folie gastronomique.

Il demandera : « Je ne t'ai pas trop manqué ? »

Je répondrai : « Oh si ! » et il ne me croira pas. Quand je suis à mes pinceaux, il sait bien que je n'ai plus besoin de personne. C'est d'ailleurs ce qui le soucie.

À la porte de mon atelier, premier étage sur pommiers, seule pièce de la maison sans lit, doudou, peluche ou T-shirt-pyjama pour l'un ou l'autre des petits-enfants, j'ai suspendu l'écriteau : « Ne pas déranger ».

J'en ai dans toutes les langues, venus de tous les hôtels du globe, même un en japonais :

[illegible]

Si vous tournez l'écriteau, vous pouvez lire : « Merci de faire la chambre ». J'ai essayé. Résultat négatif. « La Maison » s'en remet totalement à ma personne pour le ménage. Une fois, Capucine a voulu me faire la surprise d'un grand nettoyage de printemps, je n'ai plus rien retrouvé. Avec la poussière, elle avait balayé la moitié de ma vie. L'expérience n'a pas été reconduite.

Quand l'écriteau est en place, tous ici savent que j'ai mis mon cœur de grand-mère en veilleuse. Inutile d'espérer m'attendrir, même par un grattouillis à la porte ou un message d'amour prudemment glissé dessous. L'artiste n'ouvre qu'à l'inspiration.

Je suis dans ma période « ailes ». J'ai eu ma période « fleurettes sur coffres en bois », ma période « grandes marées », ma période Rembrandt. Mon aile du moment occupe toute ma toile, c'est à l'intérieur que le rêve se déploie. Grégoire la regarde de travers. Il préférait les fleurettes. Cette aile traduirait-elle chez son épouse un certain désir de s'échapper ?

Certainement ! Haut, loin de ce monde de bruit et de fureur, et même parfois, osons le dire, loin de mon petit monde à moi : un mari, trois enfants, neuf petits-enfants.

Et ne va pas me raconter, toi, mon Pacha, que tu ne t'envoles pas lorsque, sur le port, tu vas retrouver tes îles à vahinés dans les voiles claquantes des bateaux.

Il est donc cinq heures de l'après-midi, en ce paisible jeudi de mai. À l'aide d'une fine brosse de martre, j'esquisse une transparence lorsque dans la poche de ma blouse de peintre une sonnerie de portable fait dérailler ma main.

Zut !

Je pose ma brosse et porte la bête noire à mon oreille.

– Oui ?

Un oui qui sonne comme un « non ».

– Babou ? C'est Tim. Je suis avec Victor.

Tim, quinze ans, fils d'Audrey, mon aînée. Victor, treize ans, beau-fils de Charlotte, ma cadette.

« On a besoin de toi. Tu peux venir ? »

La voix de mes petits-enfants, c'est comme ma palette, j'en connais par cœur chaque nuance. Dans celle de mon Tim, du gris mêlé de rouge : inquiétude et colère.

– Qu'est-ce qui se passe ?

– On peut pas te dire. Faut qu'on te voie.

Gris-noir, cette fois. Sans lâcher l'appareil, je déboutonne ma blouse et envoie valser mes babouches marocaines brodées de fil d'or, cadeau de Marie-Rose, mon amie brocanteuse, qui n'ayant pas de famille n'a pas besoin de peindre des ailes pour voyager.

– C'est grave, insiste Tim.

– N'aie pas peur, j'arrive. Où êtes-vous ?

Silence lourd comme un couteau sur la gorge. J'envisage le pire : drogue, enlèvement, rançon. Combien, la rançon ? Je paie tout de suite. Là-bas... où ça ? me parviennent maintenant des voix étouffées. Gardons notre sang-froid. Mes clés de voiture, vite ! Où les as-tu encore fourrées, Joséphine ? Mon Dieu, je n'ai pas fait le plein d'essence, espérant que Grégoire, qui me vole tout le temps ma Rugissante (deux-chevaux), s'en chargerait. Les trois gouttes qui restent à la radine que je suis suffiront-elles pour aller sauver mes petits-fils en danger ?

– Tu ne te mettras pas en colère, Babou ? demande cette fois la voix de Victor.

Mon cœur se fend.

– Mais certainement pas, mon chéri.

– Ben... on est en bas, à la cuisine. On a vu l'écriteau alors on t'appelle de mon portable.

Et voilà comment l'aile de la modernité a rattrapé Rembrandt.

Dans la maison que je partage avec mon Pacha en pays d'Auge : colombages, toit de tuiles grenat, fenêtres à petits carreaux et murs ocre à bonheur, souvenirs et odeurs intemporelles, la cuisine est, bien sûr, le lieu privilégié de vie. Y bouillonne en continu la marmite des rencontres, confidences et pugilats.

C'est pourquoi nous l'avons agrandie récemment, en prenant sur la resserre, afin de régler l'un des principaux sujets de conflit.

Le pillage du frigo.

Pour une fois d'accord, enfants et petits-enfants commençaient par le remplir jusqu'à la gorge : boissons gazeuses, laitages bio, tofu, steaks de soja, fritinis, ketchup, mayo, vaporisateurs à chantilly, tous produits modérément appréciés par des grands-parents plutôt classiques-terroir. Ses vivres engloutis, la jeunesse s'attaquait faute de mieux à la subsistance des aïeux.

Le mot « réapprovisionner » leur étant étranger.

Nous avons désormais deux réfrigérateurs. L'ancien réservé à Grégoire et à moi, le flambant neuf, avec congélateur incorporé – cônes variés, pizzas, nuggets de poisson pané –, pour la descendance.

Interdit de se servir dans celui de l'autre camp.

À peine ai-je mis les pattes sur les tommettes de la cuisine que Tim se glisse derrière moi et ferme la porte à clé. Je remarque les sacs de classe contre le mur. On arrive directement de l'école ! Pour Victor, c'est à Dives, tout près. Pour Tim, c'est à Caen où habite sa famille. Il a dû prendre le car : en habitué.

Il incline vers ma joue son mètre soixante-quinze pour y frotter un attendrissant duvet, plus poussin que porc-épic. Victor, lui, se hisse sur la pointe des pieds pour faire de même : joue de bébé à son grand désespoir et seulement un mètre soixante, dû à des reins défectueux avant la greffe qui l'a sauvé.

– Assieds-toi, Babou, m'ordonnent-ils gravement.

Un rien dans le cirage, je prends place à la table de bois.

– Maman divorce ! annonce Tim.

Ce serait son frère aîné, dix-sept ans, Gauthier-le-provocateur, spécialiste toute catégorie de jeux électroniques, terreur des terrains de foot, qui m'annoncerait la nouvelle, j'éclaterais de rire. Mais c'est mon Tim, calme, sérieux. Tim, dit « le preux », qui vient de parler, et le doute ne m'est pas permis.

D'autant que Victor, qui a vécu le divorce de ses parents, sa mère, Galina, artiste lyrique, étant partie chanter ailleurs peu après sa naissance, a accompagné la déclaration de son cousin d'un profond soupir de connaisseur.

Du calme, mon cœur !

– Et comment le sais-tu ?

– Maman a viré papa ce matin. Il est parti avec son sac de sport et son ordinateur portable. Ils s'étaient engueulés toute la nuit.

– Et tu sais pourquoi ?

– Papa a une nana.

– Et si seulement c'était la première ! déplore Victor, les yeux au ciel.

Et voilà ! J'aurais dû m'en douter. Trop lisse, Jean-Philippe, mari d'Audrey, ma fille aînée. Trop poli, retenu, modéré, pour être honnête. Un tartuffe qui mijotait ses sales coups dans l'ombre.

Et, du côté de ma pauvre Audrey, ces mines chiffonnées, ces yeux cachés derrière des lunettes noires sous prétexte d'allergie – bon dos, les acariens ! –, sans compter la cravate offerte à son mari pour Noël.

Une cravate avec des éléphants.

« Ça trompe, ça trompe, ça trompe énormément », avait chanté la famille. Et moi, inconsciente ? Refusant de voir l'évidence ?

Tim s'est réfugié près de la fenêtre. Il regarde la cour pour ne pas me regarder. Il a honte. Je me lève et le rejoins.

– Tu es bien sûr pour la nana, mon chéri ?

Les épaules ploient un peu plus. À l'arrière, Victor est une mine de soupirs.

– Maman nous a tout expliqué au petit déjeuner, mais on savait déjà. On les avait entendus.

– Alors Gauthier et Adèle sont au courant eux aussi ?

Il hoche la tête.

– Gauthier a dit qu'il allait se saouler la gueule et fumer un pétard. Adèle a dit qu'elle se marierait jamais.

Je pose la main sur son épaule et nous regardons un moment la cour tous les deux. La mob de Victor, les petites plantations de Grégoire, le pot de thym et le massif de laurier à portée de gâte-sauce.

– Alors moi j'ai séché le stade et pris le car. Victor est venu me chercher à l'arrêt avec sa mob, conclut Tim.

Il lutte contre les larmes. Je l'entoure de mes bras. Mon Dieu, faites que je vive longtemps et en bonne santé pour être toujours là.

Je relâche vite mon étreinte avant qu'il se demande ce qu'il fabrique à son âge sur la poitrine de sa grand-mère et m'empresse d'aller prélever trois Coca dans le frigo enfants.

– On est d'accord, concède Victor, grand seigneur.

Deux pailles, un verre pour moi. Au passage, je m'arrête une seconde devant le tableau aux courses et messages sur lequel Grégoire m'a laissé son petit mot d'amour habituel.

« À ce soir. Bons gribouillages. »

Ça me fait chaud ! Comme j'étais bien là-haut avec mon aile.

– La tuile, remarque Tim une fois tout le monde servi, c'est le bébé.

Ma salive fait un drôle de bruit dans ma gorge.

– Le bébé ? Tu veux dire que la nana de Jean-Philippe attend un bébé ?

– Pas sa nana, maman ! répond Tim.

2

À cet instant précis, la poignée de la porte a tourné, sans résultat. Verrouillée par mes ravisseurs.

– Non ! ont-ils aboyé en chœur.

Si !

Une aile, un ange, n'importe quel libérateur pour me tirer de ce mauvais rêve. Je me réveillerai dans mon lit, secouée par Grégoire : « N'aie pas peur, ma chérie, ce n'était qu'un cauchemar. » Je lui raconterai. Nous rirons bien.

J'ai ouvert.

D'ange, point ! Mururoa. C'est-à-dire ma cadette, trente-sept ans, deux mariages dont un orthodoxe, cinq enfants dont trois déposés dans la corbeille de noces par Boris, son nouvel époux.

– Ne me dis rien, maman, je sais tout. Audrey vient de m'appeler, a-t-elle lancé en rasant ma poitrine tel un obus.

Elle est allée appliquer un bisou sonore sur le front soucieux de Tim.

– La prochaine fois que tu sèches, préviens-moi. J'irai te chercher. Et, pour ce soir, tu restes dîner et coucher à la maison. Boris te déposera au collège demain. On va avertir ta mère.

Une caresse à son Victor, puis elle a enfin daigné poser les yeux sur sa pauvre mère à elle, ou plutôt sur son breuvage.

– Tu bois du Coca, maintenant ?

Jamais ! Les boissons gazeuses me donnent le hoquet. Et, en plus, chaque gorgée de cette horreur compte pour un morceau de sucre. C'était juste un réflexe de partage.

Pour partager à son tour, Charlotte s'est sorti une canette qu'elle a améliorée vite fait – pas épouse de Cosaque pour rien – avec un filet de vodka prélevée dans le frigo aïeux. J'ai tendu mon verre pour qu'elle m'améliore moi aussi.

– Si tu sais tout, pourrais-tu m'expliquer ? ai-je demandé humblement. Je suis un peu perdue, là.

Elle a d'abord consulté du regard la jeunesse qui matait avec envie ses Nike dernier cri posées sur la table avec ses pieds.

Naguère... à des années-lumière de cette trompeuse fin d'après-midi où, dans un ciel sans histoire, on peut entendre un avion souligner le soleil, on attendait que les enfants dorment pour parler sexe. Aujourd'hui, avec la télé-réalité, les films X, les petites annonces sur Internet, plus le kit d'éducation sexuelle distribué gratos à l'école, les enfants en connaissent dix fois plus que nous sur ce sujet brûlant, aussi a-t-on intérêt à les garder avec soi lorsqu'on aborde la question, histoire d'être tenu au courant des nouveautés et de relier les fils de la chair à ceux du cœur.

La jeunesse a acquiescé : j'avais le droit de tout savoir.

– Allons-y ! a décidé Charlotte.

Et elle s'est mise à table au propre comme au figuré.

Audrey était une sainte !

Durant des années, pour préserver l'unité familiale, elle avait accepté en silence que son mari, Jean-Philippe, batifole. Une femme, une mère héroïque, n'est-ce, pas les garçons ?

– Moi, je ne batifolerai pas, a décidé Tim-le-vertueux. Je resterai toute la vie fidèle à ma meuf.

– Moi, je préserverai l'unité familiale, a promis Victor d'une voix brouillée par la peur qu'aucune fille ne le demande jamais en mariage à cause de sa petite taille.

– C'est bien, a approuvé Charlotte, qui avait, à sa façon, elle aussi préservé l'unité en recueillant sous son toit les enfants de tous les lits. « Mais quand un monsieur batifole, il prend des risques. Aussi est-il arrivé ce qui devait arriver. »

Elle a observé un petit arrêt. Son regard est revenu sur moi.

– Audrey a rencontré quelqu'un. C'est d'ailleurs moi qui le lui ai présenté.

– Ne me dis pas que c'est un Russe !

Mon malencontreux cri du cœur a fait froncer les sourcils de ma fille : épouse Karatine.

– Aurais-tu quelque chose contre les Russes, maman ?

Les yeux de Victor, fils de Boris, étaient pleins d'inquiétude. J'ai battu piteusement en retraite.

– Pas du tout. Au contraire !

– On dirait pas. Aussi rassure-toi, il est normand comme toi et moi.

– Et moi ! s'est écrié Victor.

– Il s'appelle Jean-Eudes, m'a informée Tim. Il a emmené Gauthier au foot samedi dernier pendant que papa batifolait.

– Ne me dis pas que c'est un joueur de foot !

– Arrête, maman, t'es lourde, là, s'est désolée Charlotte.

C'était juste pour rattraper le coup du Russe. Raté !

– Si tu veux tout savoir, il est assureur-conseil. C'est lui qui couvre la multirisque du resto. Il vient souvent dîner depuis la mort de sa femme, m'a bombardée Mururoa. C'est comme ça qu'Audrey l'a rencontré.

– Sa femme est morte ? ai-je demandé d'une voix éteinte. (Combien d'enfants ?)

– Il y a quatre ans : on ne sait pas de quoi.

Louche ! J'ai versé un rab de vodka dans la gorgée de Coca qui me restait. Question : Tim avait-il ou non prononcé le mot « bébé » ? Il était fort possible que j'aie mal entendu. Bien que ce soit Grégoire qui devienne sourd. J'œuvre pour qu'il accepte de s'appareiller. Rien à faire : trop coquet ! Décidément, les femmes montent sur tous les fronts.

J'ai pris mes responsabilités.

– N'aurais-je pas entendu parler d'un bébé ?

Charlotte a eu une épouvantable grimace de confirmation.

– La vraie glauquerie : cinq semaines !

– Même que maman a fait le test avec Adèle, m'a renseignée Tim. Tu fais pipi sur la tige absorbante, si c'est bleu dans les deux fenêtres, celle de contrôle et l'autre, c'est bon. Adèle a dit que c'était bleu comme son bandana.

Et on ira prétendre que le dialogue mère-fille se perd !

Quoi qu'il en soit, la lumière se faisait enfin dans ma tête. C'était à cause du bébé de Jean-Eudes que mon Audrey s'était décidée à rompre avec Jean-Philippe qui, reconnaissons-le, ne l'avait pas volé. Pas le genre de ma fille, d'installer un semi-clandestin dans sa famille. Droite, réfléchie, responsable, elle avait fait son choix : l'assureur-conseil multirisque, et mis bravement les choses au clair avec l'infidèle.

Ne l'appelions-nous pas « l'organisée » lorsqu'elle était jeune fille ?

– Il a dû lui falloir un sacré courage pour avouer à Jean-Philippe qu'elle était enceinte, ai-je admiré.

– Tais-toi, malheureuse, tu vas trop vite, là ! s'est exclamée Charlotte. Pour l'instant, elle n'a avoué que Jean-Eudes. Le bébé, il faudrait déjà savoir de quel père il est !

3

Si vous cherchez un restaurant dans l'annuaire de la région et plus particulièrement dans la rubrique : « Spécialités étrangères », vous me trouverez très vite à « Russie ». Nous y sommes peu nombreux.

« Dans un décor unique, un cadre chaleureux, une remarquable cuisine russe. Dîners aux chandelles, musiciens tziganes. Adresse idéale pour mariages ou réceptions. »

Je ne me suis toujours pas habituée à figurer dans les « pages jaunes ».

C'est pour me remercier de leur avoir, après un lourd conflit avec Grégoire, offert la moitié de notre territoire pour y construire leur isba que Charlotte et Boris ont décidé de donner mon nom à celle-ci : « Chez Babouchka ». Ce jour-là, c'est le Pacha qui a menacé de divorcer.

Voici bientôt quatre ans que chaque soir, sauf dimanche et lundi – jours de relâche –, nous pouvons entendre monter derrière la barrière de massifs fleuris la belle chanson *Les Bateliers de la Volga*, accompagnée de guitare et balalaïka.

Le restaurant ne sert pas à déjeuner.

Dans les deux mille mètres carrés de jardin qui nous restent, je regarde Charlotte s'éloigner entre les deux garçons. Tim s'est chargé des sacs. Victor trace son sillon avec sa mob sur le gazon fraîchement tondu.

« La glauquerie », a résumé si justement ma fille.

En quête de réconfort, je me traîne vers l'allée aux chênes, un grand nom pour les neuf arbrisseaux plantés par Grégoire à la naissance de chacun de nos petits-enfants, auxquels se sont rajoutés les trois « Ruskofs », nés du premier mariage de Boris. Les noms sont inscrits sur une pancarte de bois au pied des futurs rois des forêts. Si vous voulez mon avis, ça fait cimetière.

Allons-y !

Chez les Réville, Audrey et Jean-Philippe : Gauthier, Tim et Adèle.

Chez mon fils Thibaut : Justino (mère brésilienne).

Chez les Karatine, Charlotte et Boris : Capucine et Tatiana (de son ventre), Dimitri, Anastasia et Victor (du ventre de Galina, première épouse de Boris).

Vous vous y perdez un peu ? Ce n'est pas grave, moi aussi.

Je m'arrête près de la plantation Réville. Y aura-t-il, dans huit mois et des poussières, un nom de plus au pied d'un nouvel arbrisseau ? Je n'arrive pas à l'imaginer.

« Ça bloque grave », dirait Gauthier.

Ça bloque.

Dans les cours de musculation de mémoire que je fréquente assidûment avec mes amies Marie-Rose et Diane, nous avons appris que le cerveau ne restituait que ce qui y était correctement entré.

L'information « bébé » a dû rester à la porte.

Que Jean-Philippe batifole (pratique des jeux folâtres : dictionnaire de Scrabble de Grégoire), que mon Audrey ait trouvé consolation auprès de l'assureur-conseil de Charlotte, jusque-là, rien d'extraordinaire. Le batifolage est entré dans les mœurs, on en fait même des jeux très prisés à la télévision en collant dans les pattes de pauvres mâles en pleine vigueur des Walkyries de toute beauté, histoire de voir combien de temps ils résisteront. Et ce n'est pas forcément celui qui résiste qui est le plus apprécié.

Classique, donc.

C'est du côté test bleu bandana d'Adèle que cela refuse d'entrer. Qu'Audrey attende un bébé non programmé, soit ! Nulle n'est à l'abri d'une boulette. Mais qu'elle ignore de quel père il est, la boulette est un peu grosse à avaler pour une personne née dans la première moitié du siècle dernier et qui a voué à un homme unique la totalité de son être.

Zen, Joséphine !

Les yeux fermés, je respire jusqu'au tréfonds pour oxygéner le siège de mon second cerveau (le ventre). Quand je reviens sur terre, un peu étourdie par le Coca amélioré et le grand air, c'est pour constater que nous nous trouvons, le jardin et moi, en pleines noces. Jeunes mariés, les pommiers couverts de fleurs virginales. Mariage aussi au baldaquin du ciel avec un soleil qui prépare sa sortie en se nimbant d'un voile de mousseline blanche. Une beauté qui me serre le cœur. Lorsque nous t'avons achetée, Maison, c'était ce spectacle-là que nous imaginions, pas les orages qui s'amoncelleraient sur ton toit, pas que nous te servirions de paratonnerre.

Et maintenant ?

Dois-je appeler la « sainte » pour lui dire que je communie avec elle en pensée ?

Certainement pas ! Née de Félicie Provençal, j'ai appris au berceau les vertus du direct. En cas de bonne ou mauvaise nouvelle, on ne téléphone pas, ni ne faxe, ni ne maile. On y va ! On prend dans ses bras le fortuné ou l'infortuné, on le serre fort contre sa poitrine. Bref, on laisse d'abord les corps parler. Le reste suit.

Alors, courir chez Audrey sur-le-champ pour laisser mon corps de mère parler à son corps de fille ? Là, c'est de son côté que ça risque de bloquer.

Car si ma Charlotte, nous venons de le constater, n'hésite pas à me faire partager toute nouveauté survenue dans la famille, il en va autrement pour Audrey, aussi coincée que son père en cas de turbulences, cadenassé dans son sous-marin, périscope rentré.

Mais puis-je laisser ma pauvre fille souffrir toute seule ?

C'est non. Au risque de tomber en panne d'essence ou de me faire jeter, j'y vais !

Une grosse patte d'ours broie mon épaule. Je saute en l'air.

– Alors, je ne t'ai pas trop manqué ? demande la bonne voix de Grégoire.

– Oh, là, là, tu m'as fait une peur bleue !

– Décidément, toi, il faut toujours que tu mettes tout en couleur, remarque-t-il, plein de bonté.

Il rit. Pour frétiller comme ça, il a dû gagner au Scrabble : au moins trois mots de sept lettres !

– Je vois que tu admires nos chênes, poursuit-il avec entrain. Tu reconnaîtras que c'est une réussite. Pas un seul en rade ! On fait un petit tour ?

Le petit tour de la nursery, en nommant chaque arbrisseau par son nom et en constatant les progrès, est le plus grand bonheur du grand-père. Nous nous ébranlons.

Tatiana... Victor... Capucine... Il s'accroupit devant celle-ci en craquant de tout son vieux bois, encercle la tige de ses mains.

– Regarde bien, Jo. Dans une vingtaine d'années, tu n'auras pas assez de tes deux bras pour l'entourer.

C'est ça, la générosité ! Planter pour des saisons que l'on ne connaîtra pas. J'enlace tendrement la taille de Grégoire. Pour les chênes, je ne sais pas, mais lui, ça fait belle lurette que je ne peux plus entourer son tronc dans mes bras.

Anastasia... Dimitri... Gauthier... Nous entrons en zone sismique. Tim... C'est le moment ! Je prends ma voix la plus neutre.

– Figure-toi que j'ai eu de la visite cet après-midi.

– Alors, c'était ça le bordel dans la cuisine, s'exclame mon maniaque de l'ordre. Tu aurais pu au moins remettre la vodka au frais. Et comment s'appelait ta visite pour que vous vous saouliez à l'heure du thé ? Marie-Rose ?

– Tu sais bien que Marie-Rose est en pirogue sur le fleuve Kourou avec Diane. C'étaient Tim et Victor. Ils m'ont annoncé une drôle de nouvelle.

– Ah ?

– Tu pourrais bien avoir un de ces jours un chêne de plus à planter.

Grégoire lâche mon épaule et pile.

– Charlotte remet ça ?

Il n'a pas l'air enthousiasmé.

– Pas Charlotte, non.

Il réfléchit.

– Ne me dis pas que c'est Anastasia ?

Là, il a l'air franchement contrarié. Anastasia, vingt ans, fille de Boris, belle-fille de Charlotte, acoquinée depuis deux ans avec son bel-oncle, notre fils Thibaut, trente-cinq ans. De ce côté-là aussi, on s'y perd ; mais autrement.

– Pas Anastasia non plus.

Son visage se détend.

– Alors je ne vois plus qu'Audrey, constate-t-il. Remettre ça à plus de quarante ans, je me demande si c'est bien raisonnable. Et quatre, ça fait beaucoup, tu ne crois pas ?

– Oh, là, là, si !

L'œil se fait soupçonneux. D'habitude, je défends bec et ongles toute décision de ma descendance, bonne ou mauvaise. Ils-sont-grands ! (Voire.)

– Mais à quoi tu joues, Joséphine ? Aux devinettes ? Tu ferais mieux de me dire tout de suite ce qui ne va pas.

Je reprends la taille de l'infortuné. Comme je préférerais suivre la seconde leçon de ma mère : ne pas accabler son mari dès son retour au foyer en lui assénant les mauvaises nouvelles. Les garder pour plus tard, de préférence après le dîner qui, ainsi, ne s'en trouvera pas gâché. Et ne jamais oublier que, sous sa façade, l'homme est espèce fragile.

Nous avons repris notre marche, nous dirigeant vers la maison. Et tandis que je conte à Grégoire la triste séance à la cuisine, je sens cette façade se lézarder. Elle a bien perdu un étage lorsque nous arrivons sur la terrasse. Dans le salon, je ne traîne plus qu'un éboulis d'homme et mon cœur lui aussi se fend.

Il s'écarte de moi, va se planter devant le tableau à photos de famille, si justement appelé « pêle-mêle » (pot-pourri n'irait pas mal non plus), le désigne d'un doigt accusateur.

– Trois enfants, trois naufrages ! Thibaut qui passe d'une danseuse de claquettes brésilienne à une Lolita soviétique, Charlotte mariée chez les popes, qui ouvre un fast-food ukrainien sous nos fenêtres, pour Charlotte, je n'avais pas grand espoir, elle a toujours été folle, elle ressemble à ta mère !

Se taire ne vaut pas approbation, mais compassion.

– Et maintenant Audrey, poursuit-il d'une voix pleine de gravats. Tu vois, dans cette chienlit, Audrey était ma consolation. Je me disais qu'on n'avait pas tout raté. Au moins une avec la tête sur les épaules : un seul mari, trois enfants d'un même lit... Mais c'était sans doute trop demander.

Il tourne vers moi ses yeux bleu-gris. Je craque. Qu'attend-il pour crier ? Exploser un bon coup ? Je sais, j'en aurai pour des mois, je crierai moi aussi, je le détesterai, mais tout plutôt que cette boule de chagrin qui ressemble à un père trahi.

Il a un gros soupir.

– Dis-moi, ma Jo, qu'est-ce qu'on a fait qu'il fallait pas ?

4

– Rien ! tranche Audrey. Ce n'est pas votre faute si j'ai épousé un obsédé. Ni vous ni moi ne pouvions deviner. L'erreur, c'est que Jean-Philippe soit arrivé vierge au mariage. Eh oui, j'ai été sa première ! Alors c'est après qu'il s'est rattrapé. Toi, papa, je suis sûre que t'avais pas attendu maman pour te lancer.

Grégoire se gratte derrière l'oreille, signe d'embarras. Il déteste parler de sujets persos. Moi, j'aime bien. Surtout avec Diane et Marie-Rose qui ont beaucoup bourlingué, vous voyez de quels voyages il s'agit...

Mais qu'il se gratte ou non ne change rien à l'affaire. Notre fille n'a dit que la pure vérité, enfin, pure... Mon bel officier ne m'est pas tombé innocent dans le bec. Avec combien de drôlesses avait-il batifolé avant moi ? Je n'ai jamais réussi à le savoir. Cela n'a pas été faute d'essayer. Depuis une vingtaine d'années, j'ai renoncé. Il faut savoir abandonner.

Nous sommes donc chez mon aînée à Caen. Elle finissait de dîner tristement entre Gauthier et Adèle, dix-sept et douze ans (Tim, quinze, se trouve au milieu) quand nous avons sonné à sa porte.

Pour l'heure, Gauthier révise son bac de français – plus que trois semaines avant l'épreuve – en regardant *Loft Story* à la télévision en compagnie de sa petite sœur. Grégoire et moi sommes retranchés avec notre fille dans la chambre conjugale.

Royale, la chambre ! Comme le reste de l'appartement haut de gamme, quartier résidentiel, des Réville. Contrairement à Charlotte, Audrey n'a jamais eu de soucis d'argent. Jean-Philippe, ingénieur, offre au percepteur la moitié de ce qu'il gagne, c'est dire s'il gagne ! Pour l'achat de cet appartement, il a fait l'essentiel de l'apport. Si divorce il y a, on devine qui le gardera.

Mais arrête de penser gros sous, Joséphine ! Ce n'est pas cela l'important. Hum !

Grégoire et moi sommes assis de chaque côté du lit où gît Audrey, la tête dans deux oreillers, la main sur le ventre. Après le jardin qui jouait au jeune marié, voilà ma fille qui ressemble à une fraîche accouchée. C'est la série !

– Et si ça vous intéresse de savoir quand ce salaud a commencé à se rattraper, je vais vous le dire, poursuit-elle. Il y a quatre ans, à Noël, quand on est descendus au Cigalou pour le réveillon. Chez ta mère, maman.

Le Cigalou, Grimaud, propriété de Félicie : lavande, vignes, fougasse, olives farcies.

– Très exactement au château d'If, avec cette pute d'Anastasia, complète Audrey.

Grégoire sursaute. Notre fille ne nous a pas habitués à un tel langage. Sans compter que la « pute » partage actuellement le loft de notre fils Thibaut, à quelques encablures du lieu où nous nous trouvons.

Je m'exhorte au calme.

– Attends, ma chérie. Tu sais bien qu'il ne s'est rien passé de grave au château d'If, juste un baiser volé.

La chérie ricane sauvagement.

– Baiser volé au château d'If, la suite au retour à Caen, et je parle poliment.

Rouge d'indignation, Grégoire se lève. Forfaiture ! Après aveu du baiser volé, Jean-Philippe n'avait-il pas promis de ne plus regarder désormais d'autre femme que la sienne ? De son côté, ma mère obtenait le même serment d'Anastasia, seize ans à l'époque, qui adorait se promener en tenue d'Ève sous le nez de tous les Adams qui passaient pour étudier leurs réactions.

Ils auraient donc trahi ?

– Es-tu sûre de ce que tu avances ? demande Grégoire à sa fille.

Debout derrière moi, il enserre mes épaules de ses mains. C'est quand même bon d'être parfois la protégée !

– Sûre et certaine, papa. Je peux même te dire que ça a duré six mois. Jusqu'à ce que cette traînée passe à un autre. J'avais pensé à divorcer, mais imagine le choc si les enfants avaient appris que leur père fricotait avec leur demi-cousine, une mineure, en plus !

Sainte Audrey nous regarde faire corps au pied de son lit. Certes, corps effondré mais corps tout de même.

– Je ne vous l'ai pas dit pour ne pas vous faire de la peine, mais vous comprendrez que je n'ai pas sauté de joie quand Anastasia s'est attaquée à Thibaut et que ce benêt s'est laissé attraper.

Pauvre, pauvre Thibaut ! Et notre Justino... Grégoire a beau dire, il n'est pas bien parti, l'arbrisseau. Orphelin de mère brésilienne, voilà qu'il hérite d'une demi-cousine perverse ! D'ailleurs, il n'a jamais aimé Anastasia : l'instinct des innocents. Quand je pense que j'ai offert, avec le fruit de mon art, une bague superbe à cette créature. Qui a dit que le sexe menait le monde ? Si vous ajoutez le fric, c'est gai !

Je m'enquiers timidement :

– Est-ce que ton frère est au courant pour les suites du château d'If ?

– Ça m'étonnerait qu'Anastasia s'en soit vantée. Et je n'ai pas eu le cœur d'en parler à Thibaut.

En clair, une bombe à retardement dans les fondations familiales.

Du salon nous parviennent le gros rire du futur bachelier aux prises avec le loft accompagné du rire perlé d'Adèle. Ici, ce serait plutôt *Dynasty* !

– Et après Anastasia, le ver était dans le fruit, reprend Audrey. Jean-Philippe n'a plus arrêté. J'avais décidé de fermer les yeux...

Oui, la sainte !

Elle pose à nouveau la main sur son ventre. Son visage s'éclaire d'une douce lumière.

– Et puis, il y a six mois, j'ai rencontré Jean-Eudes, chez Babouchka.

Chez Babouchka... Grégoire me lâche les épaules. J'avais évité de lui donner ce détail.

– Nous nous sommes tout de suite plu. Il est veuf. Nous avons décidé de nous marier.

– Me permettras-tu de te rappeler que, toi, tu n'es pas encore veuve, proteste Grégoire.

– Je sais, papa. Inutile d'en rajouter, s'énerve notre fille. C'est bien pour ça que je vais divorcer. J'ai rendez-vous demain avec mon avocat. Voilà !

Voilà ?

Le silence s'abat sur la chambre. Est-ce fini ? Tout a-t-il été dit ? Pouvons-nous regagner nos pénates ? Il me semble qu'il reste un détail qui n'a pas été abordé.

Je cherche le regard de Grégoire. Celui-ci est scotché à un tableau au mur : une nature morte.

Comme présentement ses neurones. Aucun secours à attendre de son côté. Mon militaire est allergique à ce qu'il appelle les « affaires de femelles ». Le mot « règles » lui donne mal au cœur. Il aurait choisi la mort plutôt que d'assister à la naissance de ses enfants, les bébés le terrifient. Il n'a jamais changé une Pampers ni donné un biberon, redoutant de casser ou de laisser choir le nourrisson. Lorsqu'il croise une poussette, il remercie le ciel de n'avoir pas vécu au temps du congé parental. Il ne commence à s'intéresser aux enfants que lorsqu'ils sont en âge de marcher.

Mais alors, quel grand-père !

Courage ! Je tends le doigt vers le ventre de ma fille, toujours protégé par sa main.

– Et lui ?

– Il a trente-trois jours.

Clair, net et précis. Le silence retombe. On ne peut pas dire que je sois aidée. Biaisons.

– Qu'en pense Jean-Eudes ?

– Il galère.

– Ah bon ? Et pourquoi ça ?

– Si Jean-Philippe ne s'était pas jeté sur moi comme un malade alors que nous venions, Jean-Eudes et moi... Enfin, vous voyez ce que je veux dire. On saurait de qui il est.

– Ton mari s'est jeté sur toi comme un malade alors que vous veniez avec Jean-Eudes..., bredouille Grégoire, anéanti, en abandonnant sa nature morte.

Audrey acquiesce.

– J'ai eu peur d'éveiller ses soupçons en me refusant.

Ce n'est plus *Dynasty*, c'est *Sex in the City*. Grégoire se gratte furieusement derrière l'oreille.

J'assume.

– Avec les analyses ADN, n'y a-t-il pas moyen de savoir qui est le géniteur de l'enfant ?

– Pour avoir une certitude, il faudra attendre la naissance.

La main de notre aînée quitte le siège du mystère : « J'ai encore deux mois pour décider si je le garde ou non. Si j'étais sûre qu'il était de Jean-Eudes, je n'hésiterais pas : l'enfant de l'amour. Mais imaginez qu'il soit de ce traître...

– ÉCOUTE-MOI !

La voix de Grégoire a tonné. Enfin sorti de son sous-marin, il empoigne les arabesques du lit, plante son regard dans celui de « l'organisée »... si je plaisante, c'est pour ne pas pleurer.

– Il fallait réfléchir avant, ma petite fille. Est-ce que tu te rends compte de ce que tu viens de dire ? Éliminer un enfant parce qu'il serait de ton mari et non de ton amant ?

Sans aller jusqu'à s'enchaîner aux grilles des ministères, Grégoire est contre l'avortement. Moi aussi. Mais je pense à ces femmes charcutées dans la clandestinité... à ces jeunes filles en danger d'être exécutées par des pères intolérants, ou tout simplement à d'autres qui n'ont pas eu ma chance et je me dis qu'en certains cas...

Je suis pour la compassion, la compréhension, le respect de la vie, pour parler responsabilité en même temps que plaisir, pour la pilule avant, pendant et après, pour le courage, le sens de l'effort, le dépassement de soi-même. Bref, il paraît que je suis pour l'impossible.

Et, dans le cas qui nous occupe, je suis contre interrompre à cinq semaines un petit minuscule qui très bientôt commencera à bâiller et à sucer son pouce.

Il reste de la place dans le jardin pour un arbrisseau.

Je regarde Audrey au fond des yeux, au fond du cœur.

– Il me semble qu'avant de prendre une décision tu devrais en parler à Jean-Philippe. Il a quand même voix au chapitre, non ?

Un éternuement à la porte de la chambre conjugale nous fait sursauter. S'y trouvent un futur bachelier en maillot éclatant du PSG, et son adorable petite sœur, vêtue d'une chemise de nuit comtesse de Ségur.

Dans le feu de la discussion, nous n'avons pas entendu sonner la fin de leur émission préférée. Et eux ? Nous ont-ils entendus ?

Leurs regards nous transpercent.

– C'est nul, le loft, déclare Adèle. Ils arrêtent pas de s'éliminer. Avec Gauthier, on est d'accord, nous, on préfère garder tout le monde.

5

– Tu dors ? chuchote Grégoire.

– Mmmmmmmm.

– Moi non ! Je n'y arrive pas.

J'entrouvre un œil. Nuit noire, silence. Une heure à mon réveil lumineux (fête des grands-mères).

Je dormottais dans mes souvenirs. J'avais dix-huit ans et je venais de rencontrer un bel officier aux yeux clairs et trois galons. Lorsqu'il m'avait parlé de sa Jeanne, j'avais été jalouse, ignorant qu'il s'agissait d'un bateau. Lui, c'était Grégoire, un mètre quatre-vingt-trois, crinière blonde, voix ardente, moral à toute épreuve.

– Ça t'ennuie si j'allume une minute ?

– Mmmmmmmm.

Il allume. Un mètre soixante-dix-neuf, cheveu rare, voix de vieille ferraille, gros soupir.

– Quel choc tout de même !

À l'époque, je vivais dans le nord de la France avec mes parents, Félicie ma tendre mère, et un père dont le caractère nous pourrissait la vie. Par charité, je n'en dirai pas plus sinon qu'il nous arrivait, à mon frère et à moi, horreur, de rêver à sa disparition.

Dès sa majorité, Hugo avait déguerpi pour s'installer comme viticulteur chez nos grands-parents maternels à Grimaud. Il m'avait fallu à moi une longue année pour convaincre le bel officier de me céder une partie du cœur qu'il réservait à sa *Jeanne*.

Le suivant en Normandie, j'avais éprouvé quelque remords à laisser maman seule avec celui que mon frère et moi appelions « il », pour n'avoir pas à dire « papa ». C'est alors que ce dernier avait eu la bonne idée de partir, foudroyé par un orage personnel plus violent que les autres.

Question.

Si son mari avait vécu, Félicie aurait-elle divorcé ? Il faudra que je le lui demande.

Grégoire se mouche bruyamment, retourne son oreiller pour profiter du côté frais, tape dessus.

– Et tout ça, c'est encore un coup de cette isba de malheur, grommelle-t-il. Si tu ne m'avais pas obligé à donner ce terrain à Charlotte, elle n'y aurait pas construit son fast-food, donc pas d'assurance, donc pas ce type au prénom impossible pour Audrey.

(Et pas de bébé.)

Sur le fameux terrain, tout a déjà été sassé et ressassé. Je fais la morte. Grégoire éteint. J'ai le malheur de retourner moi aussi mon oreiller, il se dresse.

– Tu vois que tu ne dors pas ! À quoi tu penses ?

À mon cours de musculation de la mémoire, j'ai appris que l'on ne pouvait fixer son attention que sur un seul sujet à la fois. Depuis une certaine phrase d'Audrey sur les batifolages de son père avant mariage, c'est très exactement mon problème.

Je demande sans coup férir :

– Combien ?

– Combien de quoi ? s'enquiert Grégoire, tout heureux d'engager enfin la conversation.

– Combien de nanas avais-tu connues avant de me rencontrer ?

Il rallume.

– À l'époque, on n'appelait pas ça des « nanas », observe-t-il. On disait tout simplement des femmes.

– C'est pire !

Croyez-vous qu'il se gratte derrière l'oreille ? Qu'il soit gêné ou confus ? Pas du tout. Il déploie ses ailes de coq de basse-cour.

– Je ne saurais te répondre, Joséphine. Figure-toi que je n'ai pas tenu de comptabilité.

Moi, si ! Il avait vingt-cinq ans lorsque je l'ai rencontré. Beau comme il était, avec la double arme de l'uniforme et de l'autorité que même les plus féministes adorent en cachette, ça avait dû défiler.

– Et après moi ?

– Après vous, madame, terminé ! dit-il. Puis-je savoir pourquoi tu te réveilles ce soir ?

– Parce que ce soir, j'ai réalisé que même Audrey en aura eu deux. Moi, je n'ai eu que toi.

– J'espère bien, se rengorge-t-il.

Il éteint.

« L'erreur est que Jean-Philippe soit arrivé vierge au mariage », a dit Audrey.

Moi aussi. Une erreur ?

Certainement, répondrait Marie-Rose, elle, ni vierge ni mariée. Mais, mon trésor, il n'est jamais trop tard pour bien faire.

Je souris.

Grégoire le sent. Il rallume.

– Toi, tu penses encore à Marie-Rose.

– Comment l'as-tu deviné ?

Il se gratte derrière l'oreille.

– Ne me dis pas que tu te vois comme elle : sans famille, sans enfants, sans personne de stable dans ta vie.

(Lui.)

– Mais avec un métier, des escapades en Guyane, des batifolages.

Et le voilà soudain qui se tord. J'ai bien dit « se tord ». Le choc a dû être trop rude. Il est devenu amnésique.

– À propos, je ne t'ai pas dit ? m'annonce-t-il. Maurice s'est mis au Viagra. Eh bien, Marguerite n'est pas contente du tout. Tu veux que j'essaie ?

Seigneur ! En plus il devient égrillard. Comme on dit pudiquement, tout ça lui a porté sur le système.

Et voilà qu'il se rapproche, m'enveloppe d'un regard de prédateur. Finalement, ce n'est pas difficile à allumer, un marin ! Pas besoin de petites pilules bleues. Le plus enrageant, c'est que j'aime toujours le mien.

J'éteins.

6

Il fallait éviter de lui donner du sel et, contrairement à ce que la plupart des gens croyaient, le pain ne lui était pas conseillé. Graines de tournesol ou de blé, saindoux plutôt que margarine, ainsi, bien sûr, que tous les fruits rouges. Lorsqu'elle avait le choix, quoique vivant en Normandie, elle dédaignait les pommes.

Elle avait appris à se procurer l'essentiel de sa nourriture, baies de toutes sortes, insectes attrapés sous l'écorce et vermisseaux sous les feuilles mortes. Une chenille ou un hanneton lui étaient repas de roi.

Elle parlait avec ses ailes, en battait pour réclamer l'attention, les soulevait l'une après l'autre, sous la douche, avec Tatiana, afin que le dessous ne soit pas oublié, et les déployait largement quand elle souhaitait que la petite lui caresse cet endroit si doux, sous le cou. Enfin, elle venait dès qu'on l'appelait, répondant à son nom : Lulu.

Lulu, la pie.

Tatiana l'avait trouvée juste tombée du nid, logée dans un rameau de l'if. Elle l'avait ramenée en courant à Charlotte et toutes deux avaient réussi à la sauver.

C'est durant les premières heures de sa vie que l'oiseau reconnaît sa mère. Celle de Lulu n'avait jamais donné de ses nouvelles et l'orpheline avait cru que cette mère était la petite qui la réchauffait contre son cœur, la nourrissait et lui parlait avec tendresse.

L'ornithologue, consulté par les cousins sur Internet, avait convaincu Tatiana de procéder très vite à l'émancipation de sa protégée qui, sinon, ne pourrait s'aventurer dans le jardin sans risque d'être dévorée par le premier malotru venu. Lulu devait apprendre sans tarder à différencier les nombreux arbres de son domaine ainsi que la nourriture que chacun renfermait. Et aussi tous les arbustes qui, grâce à leurs baies, lui serviraient de garde-manger l'hiver : sureaux, aubépines, pyracanthas et divers houx panachés.

Alors que Tatiana se résignait, pour sa survie, à perdre sa fille adoptive, le miracle s'était produit. Les splendeurs de la liberté n'avaient pas fait oublier à l'oisillon celle qui l'avait recueilli. Lulu lui était demeurée fidèle ainsi qu'à l'isba où elle se sentait chez elle. N'avait-elle pas, un soir d'été, semé la panique dans la salle du restaurant en venant frapper du bec sur le verre d'un dîneur pour réclamer de l'eau ?

Les oiseaux sont de l'aube et Lulu avait réussi là où Charlotte avait fini par renoncer : faire coucher tôt Tatiana, désireuse d'être en forme pour jacasser avec sa pie avant de se rendre à l'école.

Quand la fillette avait demandé à Grégoire de planter un chêne pour l'oiseau, celui-ci s'était exclamé : « Mais tous les arbres lui appartiennent. » La petite s'en était contentée.

Lulu s'apprêtait à fêter ses deux ans.

Perchée sur le prunellier, elle m'a saluée d'un cri bref lorsque je suis arrivée à la porte de Chez Babouchka. Il n'était pas huit heures. Tatiana et Capucine venaient de partir pour l'école, à Caen, conduites par une maman, amie des Karatine, qui, en remerciement, avait son rond de serviette à l'année au restaurant. Victor et Tim s'étaient, eux, élancés sur leur deux-roues en direction du lycée. Tous nos Ruskofs sont demi-pensionnaires, le cuistot ukrainien, Vladimir, refusant d'avoir quatre affamés dans les pattes à midi.

Joliment dévêtue d'un court T-shirt, Charlotte prenait son petit déjeuner à la cuisine, ouverte sur la grande salle. J'étais montée en robe de chambre, remettant la douche à plus tard de crainte de réveiller Grégoire. Elle m'a désigné les Thermos qui attendraient les amateurs sur la table de travail toute la matinée.

– Un café, mamouchka ?

Je l'ai d'abord embrassée avec une reconnaissance datant du siècle dernier. Quand j'étais petite, je rêvais d'avoir une mère boulangère. À défaut, j'avais une fille restauratrice. Pas mal non plus !

Et autour des Thermos – lait et café – se trouvaient toutes les tentations du pays des tzars : la vatrouchka, tarte fondante au fromage blanc et fruits confits, le savoureux makouska, flan au pavot, et, bien sûr, le gâteau aux pommes.

J'ai rempli ma tasse de café au lait et me suis découpé une fine tranche de vatrouchka pour commencer.

– Audrey vient de m'appeler, m'a appris Charlotte en rongeant le bout de pain noir qui lui éviterait de devenir une grosse babouchka. Il paraît que ça s'est plutôt bien passé avec papa, c'est vrai, ça ?

Un petit sourire intérieur m'a caressé le cœur. Plutôt bien ? Même très bien, si l'on se référait à cette nuit : de façon inattendue, tendre, ardente...

Soyons sérieuse ! J'ai laissé échapper un gros soupir.

– À vrai dire, je n'ai pas l'impression que ton père ait encore pleinement réalisé l'ampleur des dégâts. C'est un peu beaucoup à la fois.

– Pleinement ? Alors vous savez pour Jean-Philippe et Anastasia ? a demandé ma fille, ses yeux lançant des éclairs.

J'ai acquiescé et pris une part de makouska en guise de réconfort. Le pavot – qui fournit l'opium – peut se consommer sans risque en flan.

– Ça a donné un sacré coup à Grégoire. N'oublie pas qu'il avait un faible pour cette petite.

– Tu veux dire que cette garce..., s'est enflammée Charlotte. Et les faibles des hommes, si on peut appeler ça comme ça, elle sait les exploiter. Imagine que les enfants apprennent que leur cousine s'est farci leurs deux oncles. Quel exemple. Et ce pauvre Thibaut qui prend Anastasia pour la Sainte Vierge.

Elle a ri. Pas moi. Parce qu'ils apprendraient ! Tous ! Thibaut comme les enfants. C'était même cette perspective qui m'avait fait galoper ici, en robe de chambre... avant que Grégoire se réveille et réalise pleinement.

Les secrets de famille, ça finit toujours par exploser. C'est fait pour ça. Et aujourd'hui, avec les portables, les SMS, les mails et la mode de déballer son linge sale devant des millions de téléspectateurs, ça explose mille fois plus vite qu'avant. Plus besoin d'aller fouiller dans des lettres jaunies au grenier. D'ailleurs, terminé, les lettres ! On ne s'écrit plus. On s'envoie direct les mots tout crus à la gueule, pardon, mais je suis en colère.

– Je me demande s'il ne vaudrait pas mieux avertir Thibaut tout de suite ? En douceur, ai-je conclu.

– Et Justino ? Tu l'avertis lui aussi en douceur ? Et en prime, tu lui fournis la dope pour se consoler ? Calmos, maman, t'emballe pas. Et laisse papa réaliser avant d'ouvrir un autre front.

Quelle sagesse ! Je me suis calmée en trempant mon flan dans mon café au lait ; ça ne se fait pas mais c'est encore meilleur. Charlotte me regardait avec ce qui m'a bien semblé être de la tendresse.

– En tout cas, quand ça explosera du côté de papa, ce qui ne saurait tarder, sache, ma petite mamouchka, que tu auras toujours ici un matelas et une gamelle.

La reconnaissance a fait déborder mon cœur. C'était donc vrai que le temps venait où les enfants prenaient leurs parents en charge ? Alléluia !

Je me suis découpé cette fois un gros morceau de gâteau aux pommes : ce n'est pas tous les jours fête.

– Et pour le bébé, qu'en penses-tu ? ai-je demandé.

– Tu connais ma devise : plus on est de fous, plus on rit.

7

Redescendant vers la maison, cœur et corps ravigotés après ce tendre festin avec ma fille, je remarque tout de suite que la fenêtre de la chambre est ouverte : Grégoire est réveillé.

Je ralentis le pas. Tous les spécialistes vous le diront : il faut gérer avec soin la sortie du lit après une nuit d'amour exceptionnelle. Plusieurs cas de figure sont envisageables, qui peuvent aller de la fuite pure et simple de l'un des protagonistes, épouvanté par ses propres débordements, à une orientation nouvelle de la vie du couple.

Connaissant mon Pacha, c'est plutôt vers une grosse gêne que nous nous dirigeons.

Honorer son épouse ainsi qu'il l'a fait cette nuit, après plus de quarante années de couette commune, révèle un esprit moins rigoureux qu'il ne voudrait l'avouer, plus de sang chaud que de sang froid, avec un petit côté ludique qui doit l'avoir dérouté lui-même. Bref, le mari doit être bien embarrassé. Charlotte a raison, n'allons pas trop vite, agissons comme si de rien n'était tout en nous tenant prête à toute éventualité, même à transformer l'essai.

Selon les mêmes spécialistes du couple, le petit déjeuner est l'occasion idéale de renouer avec le quotidien. Si le partenaire est allé chercher des croissants, vous avez là un indice sérieux : trop-plein d'amour ou tentative de poudre d'escampette, les deux pouvant se conjuguer. Bref, pour le petit déjeuner, c'est trop tard. Mais s'il faut que je prenne un café avec don Juan, tant pis pour mon cœur.

Lulu me fait un brin de conduite, ignorant ses congénères qui festoient sur le cerisier. Comment la pie peut-elle être si mal notée chez les humains ? Elle aime ce qui brille et tente de s'en emparer ? Et nous, alors ? Elle jacasse. Que viens-je de faire d'autre avec ma Charlotte ? Et, dans son habit de soirée, ma pie est si belle !

Passant la ligne de démarcation entre les deux jardins, appelée « Maginot » par certains lorsqu'ils sont de mauvaise humeur, je découvre « certain » affalé dans un transat sur la terrasse.

En pyjama, ni coiffé ni rasé, l'œil mauvais, il me regarde approcher. Aucun doute : il a réalisé. Comme les femmes sont plus romantiques, j'en étais encore à la magie de cette nuit.

Inutile d'espérer des croissants.

Après avoir effleuré son front de mes lèvres, je déploie mon transat à distance respectable du sien pour qu'il ne voie pas dans le choix de la place une quelconque allusion à de récents événements. Lulu se perche sur la pointe du parasol, l'un de ses postes d'observation favoris. La fille adoptive de Tatiana apprécie également « La Maison » et son jardin, plus tranquilles que ceux des Ruskofs.

– Comme tu vois, Lulu se porte bien, dis-je gaiement, histoire d'engager la conversation.

Grégoire tourne vers moi un œil furibond.

– Alors, si Lulu va, tout va !

D'un doigt vengeur, il désigne sa haie de rosiers rugueux, haie défensive aux rameaux bourrés d'épines.

– Sans doute sais-tu que je n'ai pas le droit de tailler mes rosiers sous prétexte que le volatile aime ses fruits ? Résultat, les pucerons s'y sont installés. Et je suppose qu'il me sera également interdit de les soigner, l'estomac délicat de Lulu risquant de souffrir du traitement.

Reconnaissant son nom, la pie approuve d'un joyeux battement d'ailes. Il est vrai que les fruits du rosier rugueux, d'un beau rouge orangé, particulièrement charnus, sont parmi ses préférés.

– Tu vois, moi je trouve cette haie bien plus belle comme ça, remarqué-je dans un souci de conciliation. Cela lui donne un aspect généreux, voire un peu fou, agréable à l'œil.

– Elle l'a dit ! rugit Grégoire. Elle a dit « fou ». Pouvez-vous m'indiquer, madame, qui ne l'est pas dans cette maison ?

Aïe, aïe, aïe, « madame », ça va mal.

Il pointe à présent le doigt vers le vieil oreiller qui répand ses plumes au pied de l'if d'où tomba l'oisillon.

– Je suppose que les oreillers crevés dans le jardin te sont également agréables à l'œil. Et ne faut-il pas que la volaille y trouve du duvet pour faire son nid ?

Un rire nerveux monte en moi. Tatiana attend en effet avec impatience que Lulu lui donne des œufs et, pour ce faire, l'aide à les recevoir le plus douillettement possible.

– Sans compter les poils de lapin que l'on m'oblige à quémander auprès du boucher, continue Grégoire. En oubliant bien entendu que les marins et les lapins n'ont jamais fait bon ménage. Mais qu'importe puisque c'est pour la portée de Lulu. Quant au père, on prend n'importe qui, on réfléchit après !

Seigneur, lui aussi devient fou ! Et laid, par-dessus le marché. Avec sa barbe maigrelette, ses sourcils en touffe, ses yeux congestionnés, sa coiffure O'Cedar, sans compter le pyjama en accordéon et les babouches de bazar bas de gamme. Mon don Juan s'est transformé en vieux barbon. Comment ai-je pu me donner à cet homme pas plus tard que cette nuit ?

– Et pendant ce temps, conclut-il, Jean-Philippe s'envoie une Lolita soviétique, Gauthier révise son bac devant *Loft Story*, Adèle fait des tests de grossesse et Audrey joue son avenir sur l'ADN. Mais si Lulu pond, c'est bon !

Son regard m'assassine :

– Il est vrai que toi, tout ce qui porte des ailes...

Je me lève. C'est trop ! On ne touche pas à mon art.

– Grégoire, je vais partir.

– C'est ça, va-t'en ! Veux-tu qu'on divorce ? Comme ça la boucle sera bouclée.

Il se lève à son tour et va secouer le parasol. La pie s'envole avec un cri de protestation.

Je le regarde droit dans les yeux.

– Tu as entendu ? Lulu et moi, nous te disons merde.

8

Quand, dans la cuisine, Tim avait annoncé en ployant les épaules : « Maman va divorcer... » Quand Charlotte avait parlé du bébé de père inconnu et qu'Audrey, devant Grégoire foudroyé, s'était demandé si elle le garderait, j'avais vu une fragile vieille dame aux cheveux blancs et au regard pâli et je m'étais dit : « Je lui raconterai. »

Quand la révolte m'avait envahie en imaginant Jean-Philippe dans les bras d'Anastasia, Anastasia dans les bras de Thibaut et, au centre de cette infamie, Justino, notre orphelin brésilien qui avait déjà subi tant d'épreuves ; quand Grégoire s'en était pris à une pie pour n'avoir pas à s'en prendre à moi qu'il avait si fort aimée quelques heures auparavant, une maison aux murs bistre, volets vert olive et tuiles bigarreau, dans un pays de soleil et de bien-être m'était apparue, où j'avais décidé de m'envoler, comme lorsque, petite fille, je courais dans les bras de ma mère après être tombée pour qu'elle souffle sur mes blessures et me dise : « C'est fini. »

Hugo est venu me chercher à onze heures à l'aéroport de Toulon. Retrouvant le sourire et les bras de mon frère, le remords m'a poignée. Quatre mois que j'avais délaissé ceux qui m'étaient si chers, me contentant d'appeler Le Cigalou chaque semaine. N'avais-je pas agi comme ces soi-disant croyants qui ne se souviennent de Dieu que dans la tempête ?

Nous sommes montés dans la camionnette brinquebalante du vigneron, tapissée de terre et de bouts de sarment.

– Roule doucement, s'il te plaît, lui ai-je demandé.

Sur le bleu de Prusse de la mer, le ciel presque blanc me rappelait des après-midi de baignade et de sable brûlant. Doré au-dessus des prés et des vergers, ce même ciel me parlait de fruits tièdes dégustés à la branche et, comme nous arrivions à Grimaud, dans l'écrin vert des pins, il n'était plus qu'un sourire lumineux me racontant les plus beaux souvenirs d'enfance.

Nous n'avons guère discuté durant la petite heure de trajet. Hugo devait bien se douter que je ne tombais pas pour rien de mes nuages normands, mais il s'est bien gardé de m'interroger.

Cela m'arrangeait.

Parrain d'Audrey, il ne manquerait pas de se sentir coupable d'une façon ou d'une autre en apprenant ce qui arrivait à sa filleule. La présence de maman atténuerait le choc.

De deux ans mon aîné, Hugo avait poussé de guingois, spolié de confiance en lui par un père qui prenait plaisir à l'humilier. Mon frère avait attendu d'avoir soixante-dix ans pour oser avouer son amour à Blanche, amie d'enfance. Ils s'étaient mariés récemment et vivaient dans ce que nous appelions l'Indépendance, annexe du Cigalou. Pour maman, quatre-vingt-dix ans, une aubaine : un fils et une bru infirmière à portée de main, de voix et de cœur.

Elle nous guettait sur la terrasse de la maison. Robe fleurie et poudre sur le nez, dont j'ai reconnu l'odeur en l'embrassant.

– Blanche nous a fait une pissaladière, m'a-t-elle annoncé. Je lui ai demandé d'y mettre les anchois roulés et les grosses olives noires que tu aimes. Nous n'aurons plus qu'à la réchauffer.

La femme d'Hugo ne déjeunerait pas avec nous, prise par son travail ; trop discrète, à la vérité. Elle aussi devait bien savoir que je n'étais pas venue jusqu'ici uniquement pour goûter à sa tarte à l'oignon.

Je suis allée poser mon sac dans ma chambre, celle que j'occupais déjà enfant lorsque je venais en vacances chez mes grands-parents. J'ai vite vérifié derrière le montant du lit en bois. Les prisonniers tracent des croix sur les murs de leur cellule pour compter leurs jours d'enfermement. Mes croix à moi, innombrables, tracées à chacun de mes séjours ici, étaient celles de la liberté. Notre père ne venait jamais chez ceux qu'il appelait avec condescendance les « paysans ».

Traçant la croix de ce jour de juin, j'ai tout de suite mieux respiré. Allons, il était temps de réchauffer la pissaladière !

– Alors ? a demandé maman sitôt celle-ci dévorée, moins une part gardée pour Blanche ce soir.

« Je lui raconterai... »

J'ai tout raconté : le divorce d'Audrey, Jean-Eudes, le bébé qu'elle n'était pas sûre de garder. Et même Jean-Philippe et Anastasia, n'ignorant pas que, d'une certaine façon, ce serait pour maman et Hugo le plus douloureux à entendre. L'idylle avait commencé ici même.

Maman m'a écoutée, les yeux le plus souvent mi-clos. Mon frère l'air coupable, fuyant mon regard.

– Comme vous pouvez le constater, le tableau n'est pas brillant, ai-je conclu. Et je n'ai rien dit du pauvre Grégoire qui s'accuse d'avoir loupé ses trois enfants.

Après un moment de concentration, maman a posé sa main sur la mienne.

– Pour le bébé, ne t'en fais pas, Audrey le gardera.

– Ça, c'est sûr ! a renchéri Hugo.

Une double profession de foi que le clocher de Grimaud a confirmé en adressant au ciel deux coups bien frappés.

Nous avons ri : au moins un problème réglé.

– Quant à cette petite Anastasia, de toute façon, avec Thibaut cela n'aurait pas duré, a repris maman.

Là, elle allait trop vite pour moi.

– Que veux-tu dire ?

– Qu'un jour ou l'autre elle l'aurait plaqué. N'oublie pas que sa mère, cette Galina, l'a abandonnée avant que son cœur ne soit formé. Elle se défend comme elle peut.

Quel mépris dans « cette Galina » ! Pour maman, l'abandon d'enfant était le crime par excellence.

– Et cela ne te gêne pas qu'Anastasia se défende en attaquant la famille ? Jean-Philippe, puis Thibaut ? ai-je essayé de plaisanter.

– Apparemment, ni l'un ni l'autre n'a beaucoup résisté, a répondu Fée d'une voix sèche.

– Et Justino ?

Fée a eu ce sourire malicieux, teinté de philosophie, qui a toujours su calmer le jeu dans les esprits.

– Si Thibaut venait à se séparer d'Anastasia, crois-tu que Justino en ferait une maladie ?

– « Au pire »..., a dit Hugo, approuvant à nouveau.

« Au pire »...

Quand nous étions enfants et que nous redoutions quelque chose, la méthode de maman pour nous rassurer était d'imaginer le pire. Et comme celui-ci n'avait pas toujours lieu, nous avions une bonne surprise. Et s'il advenait, nous y étions mieux préparés.

Au pire, Justino se frotterait les mains.

Autre problème réglé.

– Et pour Audrey et Jean-Eudes ? ai-je demandé.

Félicie s'est tournée vers Hugo.

– Peux-tu aller me chercher le dictionnaire, s'il te plaît ? Et prends aussi ma loupe.

Hugo a disparu dans l'obscurité fraîche de la maison. Maman s'est penchée vers moi.

– Il est heureux ! Surtout, ne le lui dis pas.

9

Ce très ancien dictionnaire illustré, rapetassé de partout, était l'objet fétiche du Cigalou.

Le père de Félicie ne savait pas lire, sa mère, si, qui avait transmis à la petite fille son amour des mots. Dans le musée de poche et de papier où étaient exposés l'ancien comme le moderne, Félicie Provençal préparait son avenir. Elle rêvait d'être institutrice, rêve abandonné lorsqu'elle s'était mariée avec un homme qui ne souhaitait pas qu'elle travaille. Sans doute l'avait-elle souvent regretté.

Elle a tourné les pages avec respect, cherchant la lettre E. Son doigt s'est posé sur une ligne, elle y a appliqué la loupe.

– Quelle chance, il a un saint ! s'est-elle exclamée.

Puis elle a lu à haute voix pour nous.

– « Jean-Eudes, fondateur en 1643 de la congrégation des Eudistes. »

Son regard ravi est revenu vers le mien.

– ... À Caen ! Caen, tu as bien entendu ? C'est là qu'Audrey habite, n'est-ce pas ? Fondation pour les missions. En voilà un qui est bien patronné. Qu'en penses-tu, ma fille ?

La fille en pensait que Jean-Philippe avait été prestement effacé des tablettes familiales. Ma mère est à facettes. Sous l'apparente indulgence, la liaison de l'oncle avec la nièce n'avait pas dû passer.

Pardon accordé. Mais avec pénitence maximale...

Après la sieste – cinq heures venaient de sonner au clocher du bon Dieu –, maman m'a proposé de faire un petit tour avec elle en forêt. Elle avait troqué sa jolie robe contre un pantalon et des chaussures de marche.

Sitôt sorti du Cigalou, vous vous retrouvez dans les pins. Le chemin où la bruyère et l'agave fleurissaient entre la roche était malaisé. J'ai pris son bras.

Jeudi dernier, tenant la taille de mon Pacha dans l'allée aux chênes, j'avais eu l'impression de le protéger. Soutenant cette dame en porcelaine, il m'a semblé que c'était elle qui me portait.

J'ai revu les croix derrière le montant de mon lit, croix de la liberté hors de portée d'un tyran. Mon père était notaire et n'aimait pas son métier. Il aurait voulu être avocat ; les contraintes familiales en avaient décidé autrement.

À Lille, où nous vivions, lorsqu'il rentrait de l'étude, nous ne savions jamais de quelle humeur il serait. Absent ou brutal ? Exigeant, méprisant, ou, on ignorait pourquoi, d'une inquiétante affabilité, le contrecoup venant inévitablement.

Si maman avait supporté un tel mari sans se plaindre ni se rebeller, sans doute était-ce pour nous protéger, Hugo et moi. En cas de divorce, ou même de séparation, il se serait battu très certainement pour nous garder. Notaire, il était mieux armé que la « fille de paysans ».

– Est-ce que je peux te poser une question, maman ?

La petite femme s'est arrêtée et m'a désigné avec un sourire l'appareil caché sous les cheveux blancs.

– Je suppose que c'est pour ça que tu t'es placée du côté de ma bonne oreille.

– Quand nous avons été majeurs, Hugo et moi. Et plus tard, après que nous avons quitté la maison, n'as-tu jamais songé à divorcer ? Je sais bien qu'à l'époque c'était moins facile qu'aujourd'hui, mais s'il n'était pas mort, l'aurais-tu fait ?

Dans le regard de maman, comme de l'étonnement est passé.

– Mais, ma chérie, hier ou aujourd'hui, ton pauvre père, sans moi, que serait-il devenu ?

10

Pour ce déjeuner de dimanche, Fée et Blanche m'ont mijoté une surprise : un ailloli. Grégoire ne supporte pas l'ail. Ce grand seigneur en juge l'odeur vulgaire ! C'est ainsi que j'en suis privée sous mon propre toit.

Il était impératif que le plat soit exécuté avant la messe télévisée de onze heures. La maison a donc commencé à sentir la morue sitôt la dernière bouchée de pain grillé-confiture avalée. Puis les légumes sont entrés dans la danse : pommes de terre, haricots verts, carottes et navets. J'ai été interdite d'épluchage.

– Si tu allais faire un tour ? a suggéré maman. J'ai besoin de réfléchir.

Lorsque nous étions enfants, c'était en préparant la soupe que Fée réfléchissait le mieux. Elle avait toute une gamme de recettes à cette intention et y puisait selon la complexité de la situation. Lorsqu'elle s'attaquait à la soupe au pistou, nous savions que l'heure était grave : il lui fallait la demi-journée.

J'ai fait mon tour sur la terrasse en mettant le couvert avec Blanche : une belle nappe damassée sur la table en fer forgé. Une « vraie » nappe, auraient dit les enfants ; les fines reprises sur les serviettes l'attestaient. J'en avais également trouvé quelques-unes sur mon drap de dessous en remuant cette nuit dans mon lit : un « vrai » drap lui aussi, pas housse.

On déjeune tôt au Cigalou, horaire de paysan. Nous sommes passés à table sitôt prononcé le « Allez en paix » sonnant la fin de l'office.

Hugo verse le pétillant blanc de blanc élevé par ses soins quand mon portable se manifeste. J'aurais dû le couper comme hier. Je prie l'assemblée de m'excuser et vais répondre du côté des lauriers-roses. Audrey.

– Maman ? Je ne te dérange pas ?

– Pas du tout, ma chérie.

– Voilà, j'ai décidé de parler du bébé à Jean-Philippe, m'annonce-t-elle. Mon avocat dit que la stratégie variera selon le père et qu'il faut attendre la naissance pour attaquer.

Mon cœur se dilate. Si je comprends bien...

– Ça risque d'être dur, poursuit Audrey. Tu rentres quand exactement ?

– En milieu de semaine, jeudi ou vendredi.

Silence. Déception ? Réprobation ?

– Tu as beau temps, au moins ?

– Plutôt.

– Eh bien, nous pas ! Profites-en. Embrasse Fée et Hugo pour moi. On se rappelle.

Clac. Elle a raccroché.

Je reviens à table. Blanche et Hugo s'affairent dans la cuisine. Regard interrogateur de maman. J'annonce :

– Audrey garde son bébé. Tu avais raison.

– Merci, Seigneur, se réjouit-elle en levant son verre vers le ciel.

Je partage la gorgée de l'allégresse puis me penche sur mon portable.

– Qu'est-ce que tu fais ?

– Je l'arrête le temps de déjeuner.

– Voudrais-tu nous priver d'autres bonnes nouvelles ? proteste-t-elle.

Je laisse donc Hermès (messager des dieux) en marche près de mon assiette. Voici Hugo portant le plat de morue entourée de ses légumes. Blanche suit avec la saucière pleine d'ailloli bien ferme.

Allez, on oublie tout !

– Et Gauthier ? demande maman en picorant une carotte. Son bac de français, c'est bien dans une dizaine de jours ? Il n'est pas trop ému ?

Je ris.

– Pas le genre à être ému, tu le connais ! Et le français est sa matière préférée. Sans compter qu'il est plutôt bon en tout.

– Pour le français, c'est son grand-père, constate l'amoureuse des dictionnaires.

Grégoire ? Je n'y avais pas pensé. Il est vrai que tous nos petits-enfants ont posé leurs lettres sur le plateau du Scrabble avant de les tracer à la plume. Ce qui leur a donné une fâcheuse tendance à mettre des majuscules partout. Chacun rêve de battre un jour le grand-père à son jeu préféré. Il ne refuse jamais une partie. Quelle patience pour un champion !

Retour à notre ailloli – trois L, sept lettres, difficile à placer. Je tartine de mayonnaise mon poisson quand la musiquette se manifeste à nouveau. Maman sourit. Je reprends la direction des lauriers-roses. Charlotte.

– Mamouchka, je ne te dérange pas ?

– Jamais, ma chérie.

– Qu'est-ce qui se passe avec papa ? Il est d'une humeur de dogue. C'est pour ça que tu es partie ?

– Il a réalisé ! Il a fait une scène de ménage à Lulu.

Éclat de rire à l'isba (dimanche, jour de relâche).

– Audrey vient déjeuner avec les enfants. Je lui ai proposé de monter. Il a refusé. Il prétend qu'il n'a pas faim.

– Si tu envoyais les petites le chercher ?

– Manu militari ? plaisante Mururoa. Bonne idée. Il me fait de la peine, tu sais. Beau temps au Cigalou ?

– Superbe.

– Ici, moyen. On te revoit avant l'année prochaine ?

– J'essaierai.

– Essaie vite. Je te laisse, *big* bisous à tout le monde.

Elle raccroche. Blanche a mis un couvercle sur mon assiette. Je reprends place.

– Charlotte vous embrasse tous les trois. Audrey itou.

Hugo s'éclaircit la gorge.

– Pour ma filleule, dis-lui qu'elle peut venir ici quand elle voudra avec les enfants. C'est bientôt les vacances. Je les emmènerai à la plage.

Merveilleux Hugo ! Il déteste la plage, le sable, le monde, se mettre en maillot, se baigner dans l'eau salée. Il n'aime la mer que d'une colline hérissée de vigne.

– Je lui transmettrai. Elle sera très touchée. Et elle adore la plage. Grâce à qui tu sais…

Hugo rougit. Il y a quelques années, il a offert à sa filleule le plus original des cadeaux : une poitrine neuve, la sienne ayant dégringolé après ses grossesses.

Une heure sonne au clocher. Le jardin donne son concert en pizzicati, les légumes fondent dans la bouche, encore un peu de vin blanc s'il vous plaît.

La salade de fruits frais arrive sur la table lorsque la bête noire se réveille.

– Enfin ! s'amuse maman.

Ma tête tourne un peu comme je marche vers les lauriers-roses.

– Allô, Babou ?

Une toute petite voix, cette fois. Un appel secret : Capucine.

– Je t'appelle du forfait de Victor, faudra pas lui dire.

– Qu'est-ce qui se passe, mon trésor ?

– C'est le Pacha. On est allés le chercher pour déjeuner avec Gauthier. Il faisait quelque chose que t'aimes pas.

– Et quoi donc ?

– Il nettoyait son Mac 50.

– NON !

Sursauts sous le parasol. Coup de gong dans mon cœur. Le Mac 50 – dix balles dans le chargeur – est le pistolet automatique de Grégoire. Je le lui ai toujours connu. Je dois même avouer que la jeune épousée éprouvait quelques délicieux frissons supplémentaires à imaginer son officier armé.

Depuis que des quantités de têtes blondes et brunes nous sont arrivées, les frissons délicieux se sont transformés en tremblements de peur. Garde-t-on une arme de poing dans son bureau, sur la corniche de sa bibliothèque, alors que la jeunesse ne rêve que d'imiter James Bond ou Matrix et fait son miel de tout ce qui pétarade ? Même si on a pris soin de planquer la boîte de balles dans la commode de sa chambre, sous ses caleçons (premier endroit où se précipite le voleur).

J'ai supplié Grégoire de s'en débarrasser. Réponse sans appel : « Tu voudrais peut-être aussi que je coule ma *Jeanne* ? »

– Et en plus, Babou, il avait mis sa casquette, précise Capucine.

Casquette de marin plus Mac 50 : tous les symptômes de la régression.

– Il vous a vus ?

– Bien sûr puisqu'on était venus le chercher. Même que Gauthier lui a demandé s'il était d'accord pour lui donner des cours de tir maintenant qu'il va bientôt être majeur.

J'ai eu un malaise.

– Et alors ?

– Alors le Pacha est devenu tout rouge. Il a lancé sa casquette par terre et il a dit qu'il avait déjà déjeuné, mais c'était pas vrai. Et si je parle du Mac 50 à une seule personne sur cette terre, Gauthier me brûlera la plante des pieds. Pourquoi ça s'appelle une « plante », Babou ? Tu diras pas que je te l'ai dit, surtout !

– Bien sûr que non.

Mais, sitôt rentrée, je balance la maudite arme à la mer, la boîte de balles avec.

– Maman m'appelle. Bisous, Babou. Chut !

Capucine raccroche. Cette fois, je n'ai pas le temps de revenir à table que la musique de malheur retentit à nouveau. Grégoire. Il tombe bien, celui-là !

– Joséphine ? Je suppose que je te dérange ?

– Ça va.

– Tu as déjeuné, toi ?

– Nous terminons.

– Je parie que c'était un aiolli.

– Gagné.

– Pourrais-tu me dire où tu as rangé le tire-bouchon ? demande-t-il. Impossible de mettre la main dessus. Un enfant a encore dû s'en servir pour faire n'importe quoi.

Et toi, avec ton Mac 50, tu ne fais peut-être pas n'importe quoi ?

– Le tire-bouchon est suspendu à son clou dans la cuisine, près du tableau. S'il n'y est pas, ce dont je doute, tu trouveras celui de secours dans le tiroir de gauche du buffet. Tu déjeunes là ?

– Où veux-tu que je déjeune sans toi ?

Il raccroche.

Je clos le bec à Hermès en le mettant sur messagerie. Je le déteste. Quatre petites journées au soleil, une promenade dans les pins, une dégustation d'ailloli chaud et de salade de fruits frais, c'était sans doute trop lui demander. Il ne m'aura pas pour le café.

Je reprends place à table.

– Au cas où Audrey s'installerait ici cet été, combien de portables dans la famille ? plaisante maman, qui a toujours su lire sur mon visage les mauvaises nouvelles.

– Trois. Audrey, Gauthier et Tim. Les garçons paient leurs communications. Adèle préfère dépenser ses sous en frivolités.

– La frivolité ne loge pas toujours là où on l'imagine, remarque Blanche.

Puis ils attendent. Ces trois êtres que j'aime et m'apprête à blesser.

– Je vais devoir avancer mon départ. Hugo, me conduirais-tu demain matin à la gare ? Il y aura bien de la place dans le TGV Méditerranée...

Ma voix a dérapé. Cigalou, tu me manques déjà.

– Depuis le temps que je rêvais de découvrir ce train, dit maman. Il paraît qu'il est magnifique. Je vais t'accompagner moi aussi.

11

« Où veux-tu que je déjeune sans toi ? » a demandé Grégoire.

Et maman, hier : « Ton pauvre père, sans moi, que serait-il devenu ? »

Sans compter la question douloureuse posée autrefois par Hugo : « Crois-tu qu'un jour une femme m'aimera vraiment ? » Lui, le bourru, le sauvage qui ne savait parler qu'à ses vignes et sous le regard des filles devenait muscat.

La fragilité des hommes !

Tout ce que le mien avait trouvé pour me dire de revenir était une histoire tordue de tire-bouchon.

Et si, pauvre idiote que j'étais, je m'apprêtais à répondre à son SOS, ce n'était même pas de crainte qu'il ne se tire une châtaigne dans le citron (en langage branché), c'est que quand il sortait son colt et sa casquette il se posait la même question qu'Hugo avant sa rencontre avec Blanche : « Une femme pourra-t-elle m'aimer vraiment un jour ? » Lui le bougon, l'autoritaire, le macho (toujours en termes branchés), insensible aux vertus de l'ail et traitant de « gribouillages » tout ce qui a été peint depuis Auguste Renoir (1892).

Cela voulait dire : « Je suis malheureux. »

Dans ma chambre aux volets clos, je tentais en vain de faire la sieste, regrettant de n'être pas née dans la niche blindée des « Chiennes de garde », lorsque maman a poussé ma porte et tiré un siège près de mon lit.

Me revoyant au chevet d'Audrey, pas plus tard que jeudi dernier, une certaine satisfaction m'a emplie : chacune son tour. Sinon que pour le côté « parturiente » je pouvais repasser.

– J'ai réfléchi à ton histoire (MON histoire...), m'a annoncé ma mère de but en blanc. Si tu veux mon avis, c'est Gauthier qui me soucie le plus.

Alors là, clouée, la fille... Audrey et son bébé, la délicate Adèle, Tim le sensible, d'accord ! Mais Gauthier. Pourquoi Gauthier ?

– Aurais-tu oublié le château d'If ? a demandé sévèrement Fée.

Pour des millions de touristes, le château d'If est l'île-cachot où ont croupi tant de malheureux, dont Edmond Dantès, futur comte de Monte-Cristo. Pour la famille, c'est le lieu du baiser volé entre Anastasia et Jean-Philippe. Après les avoir surpris dans les bras l'un de l'autre, Tim avait demandé : « Est-ce que papa et maman vont divorcer ? » Gauthier, lui, avait fait un plongeon dans la mer. Un touriste l'avait repêché.

– Mais maman, le château d'If, c'était il y a presque quatre ans, Gauthier a dix-sept ans maintenant, il est brillant en classe, il collectionne les amis, c'est un garçon sans problème.

– Il n'y a pas de garçon sans problème... Ni d'hommes non plus, hélas, a déploré maman. Les siens, Gauthier les enterre sous les rires. Et du rire aux larmes...

Un souvenir m'est revenu. Une phrase de Tim dans la cuisine, après qu'il m'eut appris la rupture entre ses parents.

« Gauthier a dit qu'il allait se saouler la gueule et fumer un pétard. »

J'ai préféré garder ça pour moi. Inutile d'inquiéter davantage maman.

– Je m'en voudrais de t'inquiéter (!), a repris celle-ci. C'était seulement pour que vous n'oubliiez pas le pauvre petit.

Un mètre quatre-vingt-trois (père : un mètre quatre-vingt-douze).

Elle a rapproché sa chaise tout contre le lit, a effleuré ma main de sa main délicate, semée de brun.

– Et toi ?

Une boule s'est formée dans ma gorge. Cette toute petite question, ni Audrey, ni Charlotte, ni Capucine, et certainement pas Grégoire n'avaient songé à me la poser. Seule une mère pouvait prononcer ces deux mots si importants : « Et toi ? »

Moi, tu sais, maman, j'aimerais bien qu'on me laisse de temps en temps peindre mes ailes en paix. J'ai soif de légèreté, de pensées qui dansent, de rires, et pourquoi pas de frivolité. Il y a le mot « vol » dedans.

Rassure-toi, Grégoire, je ne me vois pas, comme Marie-Rose, sans attaches ni famille, mais si ma principale attache me laissait un peu plus de champ pour m'ébattre et que ma famille était moins compliquée, ça m'arrangerait.

Et vous tous, n'oubliez pas la belle définition de l'humour – dont il paraît que j'abuse parfois –, « la politesse du désespoir ».

J'ai avalé la boule et dit la vérité.

– Moi ? Je rêve de huit jours dans un palace en Suisse.

– Vois comme tu as évolué, a applaudi Félicie. Il y a quelques années, un petit hôtel deux étoiles en Normandie t'avait suffi[1] !

Le TGV Méditerranée partait de Toulon à onze heures trente. Je bouclais mon sac quand maman est entrée à nouveau dans ma chambre avec une mine de comploteuse et, dans la main, un petit paquet emmailloté.

Je ne quitte jamais Le Cigalou sans cadeau : un pot de confiture de figues ou d'oranges, un bocal d'olives noires, bien charnues, que je dois veiller à tenir droit pour qu'il ne coule pas, quelques fromages de chèvre propres à embaumer mes voisins, des fruits qui arrivent en compote à destination.

Félicie m'a tendu le paquet ; sous le poids inattendu, ma main a ployé.

– Ouvre, a-t-elle ordonné.

J'ai obéi. Cette fois, c'était un lingot d'or.

– Ne te fais pas de souci pour Hugo, il est au courant, m'a-t-elle tout de suite rassurée. Ce lingot me vient de mon père et il a été honnêtement gagné. Sans doute ne savait-il pas lire, mais compter, c'est dans les veines d'un paysan ; ils ont tant souffert, les pauvres ! Il me l'avait offert à une époque où ça n'allait pas fort pour moi, en me faisant promettre de le garder secret. Sache que ce petit morceau d'or était peu à peu devenu mon palace en Suisse ! Il me suffisait de le sortir de sa cachette et de le caresser pour partir là où je voulais.

Elle m'a souri malicieusement :

---

1. *Belle-grand-mère*, tome I.

– Tout le monde n'est pas doué pour peindre des ailes.

J'étais beaucoup trop émue pour parler.

– Aujourd'hui, je n'en ai plus besoin, a-t-elle continué. (Et, tendant un doigt vers le ciel :) « Ça m'étonnerait qu'on me le réclame à mon arrivée là-haut. »

Du fond de sa poche, elle a sorti une enveloppe.

– Voilà le reçu. Ne les garde pas ensemble en cas de vol. Si j'étais toi, je n'en parlerais à personne, cela lui ôterait de sa magie.

« Personne » s'appelait Grégoire, bien sûr ! Voilà qui lui aurait fait plaisir. J'ai souri : premier battement d'aile du lingot.

Je l'ai caché dans mon cabas, sous la fougasse, l'œuf dur, la tomate et le fromage de mon pique-nique. Le reçu est allé voir du côté de mon petit linge, dans ma valise à roulettes. « Personne » n'irait certainement pas fourrager là !

En faisant mes adieux à Félicie devant le beau train bleu, je me suis dit que, finalement, je l'avais toujours su : j'avais une mère en or.

12

– J'espère que tu n'as pas oublié l'ail, demande Grégoire pour être gentil, en désignant le reste de fougasse qui dépasse de mon cabas.

Je lui abandonne ma valise à roulettes et garde la fougasse contre mon cœur. Dix-neuf heures trente en gare de Caen : la petite foule des courageux qui vont chaque jour travailler à Paris se presse vers la sortie.

– Qu'est-ce que tu préfères : dîner à La Grande Marée ou rentrer directement à la maison, interroge Grégoire. J'ai acheté des soles toutes fraîches au marché ce matin.

La Grande Marée est un restaurant réputé pour son plateau de fruits de mer : bouquets et langoustines, ô mes délices !

– La sole fraîche à la maison, bien sûr.

Mon mari a l'air tout content. Nous montons dans son « paquebot », une semi-épave guère plus reluisante que la camionnette d'Hugo. Mes hommes ne misent pas sur la carrosserie d'une voiture pour se faire valoir.

– Qu'est-ce qui t'a pris de rentrer si vite ? demande-t-il tandis que nous roulons vers un ciel de même couleur que l'ardoise des toits. N'avais-tu pas prévu de rester jusqu'à vendredi ? Un si long voyage pour deux jours, tu avoueras...

Je lui souris. Il ne dira rien de son Mac 50, je me tairai sur ce que je transporte sous la fougasse. Donnant-donnant.

– Qu'aurais-tu fait sans tire-bouchon jusqu'à vendredi ?

Sa patte, recouvrant un instant ma main délicate, clôt le sujet dans la tendresse.

Clôt ? Ne rêvons pas. À quelques kilomètres de là, il se racle la gorge.

– Tu as reçu une carte de tes amies. On dirait bien qu'en Guyane aussi c'est l'époque de la ponte.

La carte représentait une tortue-luth sortant d'un œuf. Diane m'y racontait qu'elle avait eu la peur de sa vie en découvrant un caïman noir sous le hamac dans lequel elle venait de faire sa sieste. Marie-Rose s'initiait aux techniques de l'orpaillage. L'orpaillage est l'art d'extraire les paillettes d'or contenues dans le sable des fleuves.

Pas la peine d'aller si loin !

Cette nuit-là, nous n'avons pas fait l'amour, mon Pacha et moi, mais la tendresse, et c'était très bien aussi.

J'ai appelé Audrey dans la matinée. Le ciel s'était dégagé mais ce n'était pas vraiment ça. Pas si bleu, si intense, enfiévré, embaumé... Bref, pas si azuréen.

Mon aînée a paru heureuse de m'entendre. Elle déjeunait avec une amie. Je pouvais venir la voir quand je voudrais dans l'après-midi.

Je suis arrivée vers trois heures. Pour monter chez Charlotte, je reste en robe de chambre. Pour me rendre chez Audrey en ville, j'avais choisi mon tailleur-pantalon de marque (soldes) et des escarpins.

Elle avait de grands cernes sous les yeux et un visage froissé qui m'a fait peine. Il paraît qu'il existe des mères jalouses de leurs filles, je voudrais les miennes les plus belles toute leur vie.

Nous nous sommes installées côte à côte sur le canapé de son salon-salle à manger. Elle a sorti une cigarette pour me faire comprendre combien elle était malheureuse et se fichait du cancer du poumon. Voilà deux ans qu'à ma grande joie elle avait arrêté de fumer. Je n'ai rien dit.

– Ça y est, j'ai parlé à Jean-Philippe, m'a-t-elle appris. Tu ne le croiras jamais, il est sûr et certain que le bébé ne peut être que de lui. C'est bien l'orgueil masculin ! Du coup, il s'est réinstallé ici. Il dort sur un lit de camp dans la salle des machines (à laver, à sécher, à repasser ; autrefois, pièce joliment appelée « buanderie »).

Elle m'a regardée d'un œil accusateur, puis elle a tiré une bouffée de sa cigarette-protestation avant de l'écraser dans le cendrier. J'avais bien fait de me taire.

– J'ai songé à venir m'installer à « La Maison ». Tim était partant, mais Adèle et Gauthier n'ont rien voulu savoir.

« Nous, on a décidé qu'on voulait garder tout le monde... » ?

– Quant à Jean-Eudes, il est aux cent coups, le pauvre, a ajouté Audrey avec un soupir. Il voudrait tant être le père.

Celui-là, je l'ai maudit. Patron missionnaire à auréole ou non, s'il n'était pas tombé dans la vie de ma fille, nous nous serions tous mieux portés.

Il était temps d'en venir au sujet de ma visite.

– Et notre Gauthier ? ai-je demandé d'une voix innocente. Où en est-il ?

– Fin prêt pour le bac de français, a répondu Audrey avec son premier sourire. Dans toute cette chienlit, s'il réussit, ça nous fera au moins une bonne nouvelle.

– Tu m'as l'air d'être bien sûre qu'il réussira.

– Mais maman, il ne PEUT pas rater. Il est le meilleur de sa classe. Et le seul de mes enfants que je n'ai jamais eu à faire travailler. Un vrai miracle : il lit, il sait. En plus, le français est sa matière préférée. Pas de problème de ce côté-là.

« Aucun garçon n'est sans problème », avait dit Fée.

– Et en ce qui concerne la situation familiale ? ai-je insisté, il prend les choses comment ?

– Tu le connais ! Pas le genre à en faire une montagne. Lui, du moment qu'il a ses copains et ses jeux.

Son regard s'est éclairé :

– Jean-Eudes a été extra, il l'a emmené voir un match de foot, pourtant, le foot et lui...

Tim m'en avait parlé. Il avait aussi parlé du « pétard ».

– Et si j'allais le chercher à son lycée ? ai-je proposé. Tu sais à quelle heure il sort ?

Audrey a écarquillé les yeux.

– Mais pourquoi irais-tu le chercher ?

– Eh bien, pour le voir, l'encourager, lui dire que je penserai à lui le jour de son bac.

Audrey a eu un rire.

– Je ne voudrais pas te faire de la peine, maman, mais à son âge, même s'il t'aime beaucoup, il n'est pas sûr que tu seras bien accueillie. Appelle-le plutôt sur son portable.

– L'un n'empêche pas l'autre.

Elle m'a donné le numéro. Sept de mes petits-enfants sur neuf ont des portables, je m'y perds un peu. Mon agenda aussi, qui « sature », comme ils disent. Puis nous sommes passées dans la chambre de Gauthier.

Elle était pleine d'un joyeux désordre qui m'a rassurée. Ses horaires étaient affichés au-dessus de son bureau. Aujourd'hui mardi, il sortait à cinq heures. Parfait ! Je pourrais y être sans difficulté.

Avec un nouveau rire, Audrey a désigné les murs sur lesquels voisinaient champions de foot et héros du Vendée Globe.

– Comme tu vois, pas de souci à se faire pour son avenir. Quand il ne veut pas être Zizou, il dit qu'il sera Christophe Auguin.

Gauthier avait fait une école de voile et se débrouillait bien. Comme en tout.

« Pour le français, c'est son grand-père », avait remarqué Fée.

Ces hommes à la barre, ces braves dans la tempête le rapprocheraient-ils aussi de Grégoire ?

Peut-être bien puisque parmi les posters j'ai découvert une photo représentant le Pacha en tenue de commandant.

13

J'ai un gros défaut : je fonce sans réfléchir et une fois sur deux je le regrette. Charlotte a raison : je m'emballe.

Grégoire, c'est l'inverse : il réfléchit tellement qu'il laisse passer l'heure d'agir, une vraie borne. Et un sujet supplémentaire de friction entre nous ; j'avais cru épouser un aventurier.

C'est seulement en arrivant devant le lycée de Gauthier où, miracle, j'ai réussi à garer ma Rugissante tout près de la sortie, que la petite phrase d'Audrey m'est revenue en pleine figure.

« Il n'est pas sûr que tu seras bien accueillie. »

Il y a un âge où l'enfant est tout fier de découvrir sa grand-mère à la porte de son école. Il se précipite dans ses bras. Elle l'emmène déguster un Big Mac ou un cône glacé, elle se sent jeune et dans le vent.

Dès neuf, dix ans, l'œil des garçons s'assombrit si l'on vient les chercher. Seul leur père, et à condition qu'il soit au volant d'un gros cube et leur lance leur casque comme un ballon de rugby : « Attrape, mec ! », est le bienvenu. Si l'aïeule a été réquisitionnée pour un rendez-vous chez le dentiste ou l'orthophoniste (méthode de lecture globale) elle est priée d'attendre planquée dans sa voiture et de démarrer en vitesse –

ni vue ni connue – sitôt son cher petit-fils dans l'habitacle.

Plus tard vient l'âge où les monstreaux commencent à lancer leurs oukases à des parents épouvantés qui les voient déjà aux urgences : « Je veux une moto pour être libre, d'abord tous mes copains en ont, et puis d'abord bientôt j'aurai plus à demander la permission. »

Pour les filles, le plaisir d'être attendue à la sortie des classes dure un peu plus longtemps à condition de se montrer coquette mais pas trop, moderne sans exagération. Je connais une grand-mère bien intentionnée, venue en patinette, qui s'est fait jeter.

Cinq heures moins dix ! Le miroir de courtoisie de ma voiture me rassure. Coiffure naturelle (couleur fraîche), maquillage soleil du Cigalou. Ajoutons le tailleur de marque ; ça devrait passer.

Et si ça ne passe pas ? Si Gauthier est avec des copains, une fille peut-être, s'il a honte de moi et fait semblant de ne pas me reconnaître ?

Au pire...

Au pire, je lui adresse un signe d'amour de loin et m'enfuis, le cœur brisé.

Je quitte ma Rugissante et me mets à l'ombre d'un platane. Ses feuilles nouvelles embaument, c'est déjà ça. Au re-pire, j'aurai respiré le printemps à Caen.

Tour d'horizon. Dans l'armada des deux-roues enchaînés à tout ce qui est vertical, inutile de chercher à repérer le vélomoteur du futur bachelier, même si j'ai participé à l'achat (Noël). Gauthier, en tout cas, ne pourra pas manquer, lui, la deux-chevaux jaune et or de l'autre côté de la rue.

Tiens, or... frémissement d'aile. Merci, maman !

Diverses sonneries retentissent à l'intérieur de l'établissement, libérant une lame de fond qui déferle dans la cour, envahit la rue, se répand partout alentour.

Sitôt à l'air pur, on peut voir les cigarettes fleurir sur les lèvres. Aiguillonnée par un certain « pétard », je quitte l'abri de mon platane.

Voilà le plus beau !

Grand, épaules larges de sportif, visage plein d'intelligence, vêtements classe, Gauthier est accompagné par deux copains, reconnaissons-le, nettement moins bien. Ils s'apprêtent à traverser. D'une seconde à l'autre, mon petit-fils découvrira véhicule et conductrice : l'heure de vérité. Que faire pour qu'il s'arrête ? Vite, une idée !

Eurêka.

Je soulève le capot de ma Rugissante, plonge résolument la tête dans le moteur et attends.

– Babou, mais qu'est-ce qui t'arrive ?

Ouf ! Ferré.

Je refais jour avec un sourire de détresse.

– Oh, Gauthier, quelle chance ! Figure-toi que je passais par là quand ma pauvre vieille a donné des signes de faiblesse. J'ai préféré m'arrêter, et maintenant, impossible de redémarrer. Tu ne jetterais pas un coup d'œil par hasard ?

Les idiots de copains ont beaucoup de mal à ne pas mourir de rire. Par politesse vis-à-vis de la personne âgée, ils se contentent de s'envoyer des coups de coude dans les côtes. Croyez-vous que le petit-fils va laisser béton sa grand-mère ? Pas son genre. Il lâche son sac et prend ma place sous le capot.

À la maison, tous les enfants ont appris le truc pour faire démarrer ma deux-chevaux par temps normand. C'est à qui maniera la tige avec le plus de dextérité après avoir utilisé le sèche-cheveux s'il y a lieu.

Il n'y a pas lieu en cet après-midi sec de juin et, en un tournemain, Gauthier obtient une série de pétarades du plus bel effet, suivies par le ronronnement d'un moteur scrupuleusement entretenu par son utilisatrice. Babas devant le mécanicien, les copains n'ont plus du tout envie de rire.

Confortons notre avantage.

Je tends les clés à mon sauveur.

– Tu ne ferais pas un petit tour avec moi ?

Là, c'est lui qui est bluffé. Depuis quelque temps, en cachette de Grégoire, je donne des cours de conduite à Gauthier dans notre « voie-privée-chemin-sans-issue ». Mais, pour l'instant, nous n'avons pas dépassé la seconde vitesse.

Comme il semble hésiter, je m'installe d'autorité à la place du mort. Il se décide, jette son sac à l'arrière, et démarre dans un grand hoquet sous les yeux des copains médusés.

14

Le lycée de Gauthier se trouve au centre ville. C'est une heure d'intense circulation. Une fois encore, je n'ai pas pris le temps de réfléchir.

Faire marche arrière – au figuré bien sûr –, impossible ! La honte assurée pour mon petit-fils devant les copains qui se tordent le cou à l'arrière pour mieux admirer le champion. Et puis on dirait qu'il ne me laisse pas le choix : seconde... troisième... Je ne rêve pas : TROISIÈME VITESSE. S'il y avait une quatrième sur les deux-chevaux, c'est sûr, il la passerait !

Je freine des quatre fers. Virage à gauche, franchissement de l'Orne. Et le voilà qui se jette dans l'avenue du Six-Juin (débarquement), direction place de la Résistance.

– C'est vrai, Babou, que le Pacha s'est battu à la Libération ?

Mon conducteur a parlé aussi calmement que s'il se trouvait sur sa trottinette ou son deux-roues en zone protégée. Nous sommes encerclés par un torrent de voitures, motos, poussettes et piétons qui traversent sans se soucier des feux. Accoudé à la fenêtre, volant au bout des doigts, Schumacher ne négocie pas, il va droit son chemin sans se préoccuper de rien.

– C'est... c'est vrai. Tu le sais bien.

– Raconte quand même.

Je perds toute dignité.

– J'ai peur, Gauthier, s'il te plaît, arrête-toi et je te raconte tout.

Il se gare au premier arrêt de bus, tant pis ! Tourne la clé, étend ses jambes de faucheux. Je recommence à respirer.

– Alors, Babou. Ouistreham ?

Village natal du Pacha, Ouistreham se situe sur la côte de Nacre, prolongé par la station balnéaire de Riva-Bella. C'est là qu'à dix-huit ans, venue y passer des vacances, j'avais rencontré mon jeune et bel officier.

Mais si, comme le nom du château d'If, Ouistreham est resté gravé dans la mémoire familiale, c'est pour une tout autre raison.

La Libération.

C'était en effet sur la plage de Riva-Bella que le quatrième commando, formé de Britanniques, Canadiens et fusiliers marins français, avait débarqué le 6 juin 1944, offrant au jeune Grégoire Rougemont, alors âgé de dix-sept ans, l'occasion de montrer sa vaillance.

– Que veux-tu que je te raconte, mon chéri ?

– Comment le Pacha est devenu un Béret vert...

– Un Béret vert, c'est beaucoup dire. Ce qui est vrai, c'est que le jour J, alors que ça explosait de partout, ton grand-père s'était sauvé de la cave où son père lui avait ordonné de se cacher avec sa mère et qu'il avait galopé sous la mitraille pour se présenter aux Français qui venaient de débarquer, les Bérets verts, comme on les appelait. Grégoire était grand et fort comme toi, il avait menti sur son âge. Deux heures plus tard, il se retrouvait avec un casque et un fusil.

– Et la dague, précise Gauthier, qui connaît l'histoire par cœur. Et aussi un filet sur le casque pour le camouflage.

– C'est ça. Le casino était encore aux mains des Allemands, la première mission de son groupe avait été de le libérer.

– Il avait fait un prisonnier...

J'acquiesce. Un réserviste terrorisé, trois fois plus âgé que lui, et qui s'était rendu sans résistance au tout neuf soldat, prêt à mourir pour la patrie, mais pas à tirer son premier coup de fusil.

– Et quand il est rentré à la maison, raconte !

Là se situe l'épisode favori de l'auditoire : celui où le jeune Grégoire, évadé de la cave en short et espadrilles, revient, après vingt-quatre heures de cavale, frapper à la porte de ses parents, qui, l'ayant cherché en vain toute la nuit parmi les nombreux blessés rassemblés au poste de secours, sont plongés dans le désespoir.

Pour commencer, ils n'avaient pas reconnu le Béret vert qui se présentait crânement à eux. Ensuite, ils avaient pleuré. Enfin, sa mère avait pris des photos.

Photos que Grégoire n'accepte de montrer qu'avec parcimonie. Car il faut reconnaître que le Pacha n'a rien de l'ancien combattant qui ressasse ses exploits. Il faut les arracher un à un à sa modestie.

– Et après, Babou ?

– Eh bien, après, il restait à libérer la commune. Des Allemands se cachaient partout, aussi nombreux que les mouettes. Connaissant les lieux par cœur, ton grand-père avait été très utile. Au point que Kieffer, le commandant des Bérets verts, avait tenu à le féliciter en personne.

L'hommage du grand homme au jeune combattant est le top de l'histoire.

Les yeux fixés sur la statue de Jeanne d'Arc, place de la Résistance, Gauthier savoure. Il en a totalement oublié l'endroit délicat où nous nous trouvons présentement et ne bouge pas un cil lorsque le conducteur du bus, obligé de vider ses passagers en double file, nous adresse un coup de klaxon rageur.

– Et les parents du Pacha, qu'est-ce qu'ils ont dit ?

– Je suppose qu'ils étaient comme tous les parents, à la fois verts de peur et fiers comme Artaban.

Gauthier a son bon gros rire : les parents verts de peur, ça lui plaît. Je respire plus largement, fière moi aussi : un sacré type quand même, mon Grégoire. J'ai bien fait de l'épouser (en l'église Saint-Samson).

– Ils l'ont pas engueulé, alors ?

– Il n'aurait plus manqué qu'ils l'engueulent ! Ton grand-père leur a donné là une belle leçon. Cela arrive, tu sais, que les enfants donnent des leçons à leurs parents.

– Comment ça, Babou ?

– Eh bien, en décidant de se battre, leur fils leur a prouvé qu'il était devenu adulte et que désormais il faudrait compter avec lui. Une leçon de courage aussi.

Gauthier hoche la tête, convaincu.

– Tu sais qu'à la Libération le Pacha avait le même âge que moi maintenant ? Et le jour J, c'était le 6 juin. Pile-poil le jour de mon bac de français.

Il soupire. Sans doute regrette-t-il de n'avoir pas, lui aussi, l'occasion d'être héroïque. Aujourd'hui, la pluie de fer et de feu ne s'abat plus que sur écrans, toiles et jeux vidéo.

Je jette un coup d'œil alentour : pas d'espions en vue ? Je défais ma ceinture, me penche sur mon petit-fils et l'embrasse sans modération.

– Et moi – pile-poil –, tout ce que je sais, c'est que je suis rudement contente que l'on soit en paix. Aucune envie d'être verte de peur pour toi.

Nous échangeons un sourire complice. Mon cœur sature. Quand je pense que nous avons vécu toutes ces années près l'un de l'autre sans jamais trouver le moyen d'avoir une conversation aussi passionnante ! Il aura fallu une panne de voiture.

Enfin...

Et, à inscrire dans les annales, Gauthier ne s'est pas livré à une seule plaisanterie depuis presque vingt minutes.

« Du rire aux larmes », a dit Fée.

Avant de prier mon élève de me rendre le volant, j'en viens à la raison de ma présence à ses côtés. Car, hélas, la guerre est bel et bien là : dans sa famille.

– Et chez toi, mon chéri ? Ça se passe comment avec tes parents ?

Il se raidit. Son visage s'assombrit et un regard plein de reproches croise le mien. J'ai cassé l'instant magique : dur, d'être une grand-mère responsable.

Et ça ne manque pas, le voilà qui rit. Pas d'un bon rire.

– Il paraît qu'entre Christophe et Julie ça se passe très bien. Ils viennent même d'avoir un bébé, c'est l'important.

Christophe et Julie ? Nous revoilà dans le loft. Je refuse d'y entrer.

– Ta mère m'a dit que Jean-Eudes t'avait emmené voir un match de foot ?

Il écarquille des yeux faussement étonnés.

– Jean-Eudes ? Qui c'est, Jean-Eudes ?

Et voilà le moment que choisit une voiture de police pour se garer devant nous. Deux hommes en uniforme en jaillissent. Trop tard pour changer de place avec Gauthier. Seigneur, faites qu'ils ne lui demandent pas son permis.

Pour compléter le tableau, il ne trouve rien de plus malin que de les viser avec une arme imaginaire. Je rabats sa main. Par chance, ils n'ont rien vu. Après avoir porté deux doigts à son képi, l'un des policiers se penche vers le conducteur.

– Bonjour, monsieur. Vous savez que vous n'avez pas le droit de stationner ici ?

Je bondis.

– C'est ma faute, monsieur l'agent. C'est moi qui ai demandé à mon petit-fils de s'arrêter là. J'avais une crampe. Et c'est MA voiture. Je peux vous montrer mon permis et tout.

Le regard sévère des forces de l'ordre s'adoucit. Finalement, il suffit de savoir les prendre. Tout le monde a une grand-mère, et ceux qui n'en ont pas sont en manque.

– La crampe est-elle passée, madame ? demande mon interlocuteur avec infiniment d'humour.

– Il me semble.

Le policier en revient à Gauthier.

– Vous pouvez y aller, jeune homme.

Schumacher remercie avec un sourire tordu, remet le contact, n'oublie pas sa flèche et démarre sans un hoquet.

– Grand et fort comme le Pacha, se rengorge-t-il. Pan ! Pan !

Il fait le tour de la place de la Résistance et reprend la direction du lycée. Je suis en eau.

– Rassure-toi, Babou. Thibaut aussi me donne des leçons de conduite, m'apprend-il. Lui, c'est sur la grand-route. Il avait peur que tu ne sois pas contente qu'on te prenne ta voiture. Faudra pas lui dire.

Un secret de plus !

Devant le lycée, la plupart des deux-roues ont disparu. Il s'arrête près du sien.

– Pour la crampe, c'était super. Tu mens très bien, Babou. Merci d'être venue me chercher.

15

C'était plus qu'une gêne : un malaise. L'impression d'avoir loupé le coche, laissé passer ma chance.

« À la Libération, il avait dix-sept ans comme moi, avait dit Gauthier d'une voix où perçait le regret. Et le jour J, pile-poil celui de mon bac de français... »

Cette identification à son grand-père, cette admiration, jamais encore il ne les avait manifestées ainsi.

Félicie avait bien deviné : « Le français, c'est Grégoire. »

Il est naturel, lorsqu'on a de nombreux petits-enfants, de se sentir plus proche de l'un ou de l'autre. Si nos petites-filles avaient su gagner à égalité le cœur de Grégoire, pour nos trois petits-fils, il en allait différemment.

Avec Tim, frère cadet de Gauthier, ils avaient en commun la passion du français... et du latin. Afin de l'aider, Grégoire s'était replongé avec délices dans thèmes et versions. Il le conseillait également dans ses lectures et, pour lui faire plaisir, avait même, héroïquement, lu un ou deux *Harry Potter*.

De Justino, l'enfant brésilien de Thibaut, nous avions été privés durant ses huit premières années. À son retour en France, une véritable histoire d'amour s'était nouée entre l'Indianos et le grand-père.

Et lorsque Victor, un trop petit garçon trop pâle, dont les reins ne fonctionnaient pas, nous était venu avec Boris, second mari de Charlotte, le Pacha lui avait en vitesse planté un chêne afin qu'il comprenne qu'il était aussi cher à son cœur que les autres et vivrait très longtemps. Et l'arrivée du greffon tant espéré avait été pour Grégoire, comme pour nous tous, un bel électrochoc au cœur.

Mais Gauthier...

Le courant n'était jamais vraiment passé entre le fan de foot et de jeux vidéo, le rappeur, l'amateur de grosses plaisanteries, et le Pacha. Et puis, tout roulait pour Gauthier, aucun problème à l'école ou ailleurs, pas besoin d'aide.

Apparemment.

Il était plus de sept heures lorsque j'ai garé ma voiture-école dans la cour de la maison. Grégoire m'a accueillie sur le seuil de la cuisine.

– Je commençais à me demander si tu ne t'étais pas fait enlever !

En un sens, oui : par le passé. Il a été tout étonné lorsque je l'ai serré dans mes bras ; il ne pouvait pas savoir que j'étreignais le résistant.

Pendant le dîner, je lui ai annoncé la bonne nouvelle : Audrey avait décidé de garder son bébé. D'une prudence de Sioux, il s'est abstenu de commentaires, se contentant de se gratter abondamment derrière l'oreille. Je n'étais revenue que d'hier, le TGV m'avait enchantée...

J'ai attendu l'heure de la verveine pour lui conter mon équipée avec Gauthier. Aucune critique pour les leçons de conduite clandestines, on m'avait changé mon grand cordon de l'ordre. Une simple réflexion attendrie.

– Comme le temps passe ! Souviens-toi, Jo, j'avais appris à Thibaut à conduire sur ta deux-chevaux. Et voilà qu'il prend le relais avec son neveu.

Il a souri :

– Elle hennissait moins fort à l'époque.

J'ai sauté sur l'occasion.

– Tu sais ce qui serait bien ? C'est que TOI, tu lui apprennes à conduire. Et sur TA voiture. Il serait fou de joie. Il t'admire tellement !

Grégoire a levé un sourcil incrédule.

– Gauthier m'admire ? Première nouvelle.

– J'aurais voulu que tu l'entendes. Il n'a parlé que de tes exploits à la Libération. Il voulait tout savoir.

– Mais il sait déjà tout.

– Quand tu aimes une belle histoire, te lasses-tu de la réécouter ? C'est comme la musique. Et ce que tu ignores, c'est qu'il a ta photo dans sa chambre, en uniforme de commandant.

Je n'ai pu me retenir :

– D'ailleurs, il envisage de faire navale.

– Navale ? Gauthier ? a rigolé Grégoire. Qu'est-ce que tu me chantes là !

Bien sûr, j'avais sorti la grosse caisse plutôt que le violon, mais il me fallait intéresser Grégoire au sort du futur bachelier. Pour la même raison, je n'ai pas parlé de l'option « footballeur ».

– T'es-tu jamais demandé pourquoi il était aussi bon en français ? Sa meilleure matière, d'après Audrey. Eh bien, c'est pour t'épater.

– S'il veut m'épater, qu'il commence par s'exprimer correctement, sans mettre les mots à l'envers, a tranché Grégoire.

Il nous a servi l'infusion, levant bien haut la théière, se croyant sans doute au Maroc : ridicule ! Puis il s'est attaqué à son sucre. Je bouillais. Il n'y a qu'à regarder Grégoire essayer de couper en deux un sucre de canne brut pour comprendre qu'il est incapable de s'intéresser à la jeunesse. Si nécessaire, il y passera la soirée.

Enfin victorieux, il en a laissé tomber une moitié avec satisfaction dans sa verveine et a remis l'autre dans le sucrier. Tiens ! Verveine... à l'envers, « enivré ». On en était loin, de l'ivresse.

– J'essayais seulement de te faire comprendre que Gauthier avait besoin d'aide en ce moment. À l'entendre cet après-midi, il m'a semblé que tu pourrais lui apporter cette aide mieux qu'un autre. Si tu trouves que ça ne te concerne pas, tant pis.

Je me suis levée. Un bain me ferait le plus grand bien. C'est parfois lourd, un sourd.

Il a attrapé mon poignet.

– Mais bien sûr que si, ça me concerne, ma Jo. On laisse passer le bac de français et après je l'invite à déjeuner. Pour le féliciter chaleureusement, si je comprends bien. Ça te va comme ça ?

Un déjeuner en tête à tête avec le Pacha, le top pour nos petits-enfants. Et ne comptez pas sur lui pour les emmener dans un fast-food. Vraie nappe, vraies serviettes (sans reprises), couverts en argent et ballet de serveurs.

– Ça me va comme ça, mon mari.

16

Audrey est venue passer la journée de dimanche à la maison avec Tim et Adèle. Gauthier était resté tenir compagnie à son père à Caen. Dommage.

Les Karatine se sont invités à déjeuner : un merlu de bonne taille, cuit au barbecue par Grégoire, sauce aurore préparée par mes soins, pommes de terre sous la cendre par ceux des enfants.

– Les bonnes odeurs de Normandie nous ont tirés du lit, a expliqué Charlotte. Comment résister ?

– C'est l'odeur de l'Ukraine qui nous endort chaque soir, a rétorqué Grégoire, beau joueur. Juste revanche.

Je n'avais pas vu Boris depuis la cascade d'événements-catastrophes.

– Eh bien, moi, l'odeur de l'Ukraine me fait chaud au cœur, lui ai-je dit en l'embrassant.

Il m'a soulevée dans ses bras. J'adore ça ; Grégoire n'y arrive plus. « Vous me manquez, Babou. M'auriez-vous oublié ? »

Son regard m'interrogeait. Charlotte lui avait-elle raconté la liaison entre Anastasia, la fille dont il était si fier, et le mari d'Audrey ? Encore heureux que ladite fille ne se soit pas invitée avec Thibaut. Là, c'est l'odeur de la trahison qui l'aurait emporté.

– Je n'oublie jamais ceux que j'aime, vous le savez bien, ai-je répondu. Ça me vaut un cœur qui déborde.

Et tout le monde a ri comme si c'était une plaisanterie.

Après le repas, Tim et Victor sont allés regarder Roland-Garros à la télévision tandis qu'Adèle et Capucine, cadenassées dans leur chambre, rhythm and blues au maximum, se racontaient leur boum de la veille.

Douze ans ! Ils commencent tôt. Il paraît que les filles se dandinent toutes seules sous le regard des garçons épouvantés qui, pour donner le change, ricanent sauvagement en descendant des litres de boisson gazeuse.

Ulcérée d'être exclue des confidences, Tatiana courait après Lulu en brandissant, par vengeance, un bracelet bien brillant taxé à sa sœur.

Ne voulant pas trahir Gauthier, je me suis contentée de dire à Audrey que j'étais allée le chercher au lycée et que nous avions passé ensemble un moment privilégié.

Apparemment, son fils ne lui en avait pas parlé.

– Et lui ? Il déjeune où, aujourd'hui ? a demandé Charlotte.

– Jean-Philippe l'a invité dans un quatre étoiles à Honfleur. Il va encore lui faire goûter du vin. Et pas n'importe lequel. Il le pourrit. Je n'aime pas ça.

Entre Audrey et son mari, cela se passait très mal, nous a-t-elle raconté. Depuis l'annonce du bébé et son retour à la maison, Jean-Philippe jouait les saints. Il avait rompu avec sa dernière petite amie et jurait que, désormais, il ne regarderait plus que sa femme.

L'ennui était qu'Audrey regardait Jean-Eudes et qu'elle avait décidé de divorcer après l'accouchement, quel que soit le père.

– Jean-Philippe cherche à détacher Gauthier de moi. Il lui a promis monts et merveilles s'il avait une bonne note à son bac de français. J'ai parfois l'impression qu'il cherche à l'acheter, s'est-elle plainte.

– Et comment réagit l'intéressé ? a demandé Charlotte.

– Tu le connais, il rigole.

« C'est qui, Jean-Eudes ? »

Une expression, lue un jour dans une revue spécialisée, m'est revenue en mémoire : les « enfants ping-pong ». Ces enfants que les couples désunis se renvoient comme une balle, chacun essayant de prendre l'avantage.

Mon cœur s'est serré.

Pour détendre une atmosphère qui devenait franchement sinistre, j'ai fait appel à Félicie et parlé du saint patron de Jean-Eudes et de la congrégation des Eudistes à Caen.

Audrey était ravie, Charlotte écroulée de rire. Devinez qui a fait la gueule ? L'humour n'est pas donné à tout le monde.

Lundi. Depuis mon retour du Cigalou, je n'arrive plus à peindre. C'est comme si une main retenait la mienne : « Attends. Ne t'envole pas tout de suite. On a besoin de toi. »

Mardi. Pas facile, dans une maison-passoire, pleine de Big Brothers en puissance, de trouver un endroit où planquer un lingot. Mission accomplie cette nuit même. En glissant mon trésor dans sa cachette, j'espérais un flash sur le palace en Suisse. Pensez-vous ! L'aile en or m'a dit elle aussi : « Attends. »

Jeudi, veille du bac de français, dispute sanglante avec mon Pacha à la suite d'un coup de fil d'Audrey m'annonçant ses premières nausées. « Tant pis pour elle, elle l'a voulu », a commenté Grégoire méchamment.

Par vengeance, j'ai déclaré que tant qu'à faire, voulu ou non, je préférais que le bébé soit de l'amant plutôt que du mari puisque ce serait avec l'amant qu'Audrey vivrait après l'accouchement.

Que n'ai-je entendu ! Amorale, immorale, sans conscience. Pourquoi pas débauchée ?

Gardez-vous pour un seul homme !

Cet après-midi-là, je suis allée me confier à la mer. Au pied des falaises des Vaches noires, réservoir inépuisable à fossiles, près d'Houlgate-la-Jolie, j'en ai trouvé un magnifique que j'ai prestement empoché malgré l'interdiction. Quel plus beau porte-bonheur qu'une étoile de mer gravée dans la roche ?

De retour à la maison, j'ai appelé Gauthier et l'ai averti que le lendemain je croiserais fort les doigts pour lui.

L'épreuve se déroulerait de huit heures à midi à son lycée, une bonne nouvelle. Il aurait le choix entre un commentaire de texte et une dissertation.

– Lequel préférerais-tu ?

– Et toi, Babou ? a-t-il rigolé.

– Moi, pas d'hésitation. C'est toi que je préfère.

Après l'avoir embrassé, je suis allée frapper à la porte du bureau où Grégoire continuait à bouder après notre dispute du matin. Voulait-il dire un mot à son petit-fils ?

– Souhaite-lui bonne chance de ma part, a-t-il répondu, refusant de prendre l'appareil pour me punir.

Comme bientôt il le regretterait !

J'ai transmis le message à Gauthier, prétendant que son grand-père était sous la douche.

– Je sais, a-t-il répondu d'une voix bizarre avant de raccrocher.

« Je sais » ? Qu'avait-il voulu dire ?

Quoi qu'il en soit, étoile de mer ou non, ni la chance ni le bonheur n'ont été au rendez-vous.

17

C'est donc le grand jour ! Et, dans les médias, ce vendredi matin de mi-juin, on ne parle que de Gauthier et des trois cent soixante-dix mille candidats au bac de français. Première épreuve importante dans la vie des lycéens, affirment les journalistes.

Lorsque Hugo et moi passions des examens, maman nous rassurait en nous rappelant malicieusement que ceux qui nous jugeraient allaient aux toilettes comme tout le monde. « Pensez-y si vous vous trouvez devant quelqu'un de trop intimidant », nous conseillait-elle.

Je n'y manquais pas, ce qui m'avait valu de piquer un jour un fou rire devant une examinatrice à la bouche en cul de poule, fou rire plutôt mal pris par la destinataire. Quant à Hugo, fidèle à lui-même, de telles considérations le faisaient rentrer sous terre.

Durant le petit déjeuner, j'ai remarqué que Grégoire ne cessait de regarder la pendule Mickey. Eh oui, tandis qu'à notre table de bois nous dégustions de la brioche, Gauthier, à sa table d'examen, commençait à plancher son français. Et, tel que je connaissais mon mari, il devait déjà s'en vouloir de ne pas l'avoir pris au téléphone la veille.

Le ciel était couvert. Au moins les candidats n'auraient-ils pas à souffrir de la chaleur, lui ai-je fait remarquer. Quant à Tim et Adèle, en vacances pour cause de bâtiment réquisitionné, ils avaient prévu d'aller au cinéma avec des copains : ce n'était pas jour d'épreuve pour tout le monde.

Audrey avait promis de nous appeler sitôt qu'elle aurait des nouvelles. Je m'étais livrée à des calculs savants : les candidats sortaient à midi. Gauthier commencerait par discuter avec ses camarades ; sans doute iraient-ils prendre un pot. Il ne serait donc pas chez lui avant le tout début d'après-midi.

Les portables n'étant pas acceptés en salle d'examen, il ne pourrait appeler ses parents qu'en empruntant celui d'une personne de l'extérieur. Le ferait-il ? Vu l'ambiance familiale, j'en doutais.

Donc, patience. Inutile de s'énerver.

Pendant cette longue attente, Grégoire s'est occupé de son jardin. Je suis allée au marché de Dives acheter des fraises et des framboises à un cultivateur de mes relations.

– C'est jour de bac, lui ai-je confié.

– Alors c'est jour de fête, a-t-il répondu en rajoutant une belle fraise sur la pile.

La pluie a commencé à tomber vers midi. Nous avons déjeuné à la cuisine d'escalopes de veau jardinière et fruits rouges de jour de fête. À mon tour, je ne pouvais m'empêcher de loucher vers Mickey. Les dés étaient jetés, l'épreuve terminée. Comment Gauthier s'en était-il tiré ?

Au pire ?

Au pire, il n'aurait pas de points d'avance pour son bac. Et après ? En S, doué comme il l'était, s'il n'optait ni pour Zizou ni pour Christophe Auguin, toutes les portes lui seraient ouvertes.

J'ai pris mon fossile sur le buffet et l'ai posé bien en vue sur le réfrigérateur des enfants.

– Qu'est-ce que c'est que ce vieux caillou que tu changes tout le temps de place ? a demandé Grégoire.

– Ce n'est pas un vieux caillou, c'est une étoile immortelle.

– Même les étoiles meurent, a constaté le pessimiste. Et à t'agiter comme ça, tu me donnes le mal de mer. Je vais faire ma sieste. Tu me réveilles si tu as des nouvelles.

Il est allé s'étendre sur le divan de son bureau. Il pouvait bien jouer les stoïques, il a laissé la porte entrouverte pour entendre sonner le téléphone.

Je me suis installée sur le canapé du salon, l'appareil à portée de main, face à l'horloge dont le battant doré me racontait une belle histoire. J'ai ouvert un roman. Je crois m'être assoupie.

Il est deux heures lorsque la sonnerie me fait sursauter. Je décroche.

– Maman ? dit Audrey.

Et elle se tait. J'entends ses sanglots d'ici. Mon cœur s'affole. Gauthier a eu un accident. Il est mort...

La porte du bureau s'ouvre et Grégoire apparaît, en chaussettes, une crête de coq blanche sur la tête. Je supplie :

– Qu'est-ce qui t'arrive, ma chérie, dis.

– Gauthier n'y est pas allé. Il ne s'est pas présenté, hoquette Audrey.

– COMMENT ?

Grégoire s'affale à moitié sur moi, appuie sur la touche haut-parleur.

– Un de ses amis vient de m'appeler, bégaie Audrey. Xavier de Ronsac, un R comme lui. Ils étaient convoqués dans la même salle, il n'a pas vu Gauthier.

– Attends... tu dis qu'il ne l'a pas vu ? C'est peut-être qu'il était ailleurs, dans une autre salle.

– Mais tu ne ne comprends donc rien ? crie Audrey. Son étiquette était sur la table : Gauthier de Réville. La table est restée vide. C'est fou, maman, c'est fou !

Grégoire m'arrache l'appareil.

– Où est-il ?

– On ne sait pas. J'ai appelé Jean-Philippe. Il arrive.

– On arrive aussi, décide Grégoire. Attendez-nous.

– Mais non, crie à nouveau Audrey. Vous, vous restez à la maison, surtout. Il va peut-être passer. Ça fait trois jours qu'il nous bassine avec toi, papa, la Libération, le courage, tout ça...

À nouveau, elle pleure.

– Je ne comprends pas. Il est parti ce matin à sept heures. S'il avait eu un accident, on le saurait, quand même ! Qu'est-ce qu'il a bien pu faire pendant tout ce temps ? Voilà Jean-Philippe, je vous laisse. Appelez si vous avez des nouvelles.

Elle raccroche. Dans le salon, on n'entend plus que la pendule. Je pleure. Ce sont les sanglots de ma fille. Et aussi les rires de mon conducteur, l'autre jour, que je n'ai pas su interpréter comme il fallait. Je le sentais bien qu'il nous mijotait une sale blague.

Grégoire passe son bras autour de mes épaules.

– J'aurais dû lui parler hier, dit-il d'une voix d'outre-tombe.

– Ne commence pas à te culpabiliser. Je lui ai dit que tu étais sous ta douche. Il m'a même répondu : « Je sais. »

Grégoire se redresse brusquement, cherche mon regard. Il est tout pâle.

– « Je sais » ? Tu es sûre qu'il t'a dit : « Je sais » ?

Je m'étais même demandé ce que cela signifiait. Mais est-ce le moment d'ergoter sur les mots ?

– Maman ?

La porte sur le jardin vient de s'ouvrir à toute volée. Charlotte.

– Audrey vient de m'appeler. Qu'est-ce qu'on fait ?

18

Elle est habillée en « n'importe comment » : T-shirt froissé, short effrangé, nu-pieds. Ses cheveux sont en bataille, son visage chiffonné. Parions qu'elle aussi dormait quand Audrey l'a appelée. Lorsqu'on sert trente couverts le soir et que l'on accepte les clients jusqu'à dix heures, la sieste est obligatoire.

Pour tout bagage, son portable.

Nous sommes debout. Je dis :

– Audrey nous a demandé de rester au cas où Gauthier viendrait ici.

– Ici ? Mais pourquoi viendrait-il ici ? Et qu'est-ce qui lui a pris de ne pas se présenter à son bac, gémit Mururoa en tombant sur le canapé. Quand je pense que personne n'a rien vu venir.

Si ! Félicie. Et moi, un peu : l'« enfant ping-pong ».

« Dans toute cette chienlit, la seule bonne nouvelle ! » avait dit Audrey à propos du bac de français.

Gauthier a arrêté la partie. Battez-vous sans moi. Ha, ha, ha.

Grégoire arpente le salon, vient se planter devant Charlotte.

– Comment se fait-il que le lycée n'ait pas averti ta sœur avant ? Dès qu'ils ont constaté que Gauthier n'était pas là ?

– Il paraît qu'il y a toujours des tables qui restent vides, explique Mururoa. Des candidats qui calent au dernier moment, notamment parmi les « libres », ceux qui étudient chez eux. Les surveillants viennent de l'extérieur, ils ne connaissent pas les élèves. Leur boulot est de s'assurer que tout se passe dans les règles, pas de pointer les absents. Si Gauthier n'avait pas eu un ami dans la même salle, on ne saurait toujours rien. Encore une chance que ce Xavier ait téléphoné pour savoir pourquoi il n'était pas venu.

– Pourquoi ? demande Grégoire sombrement.

Mon cœur est comme un poing serré.

– Nous le savons tous, dis-je. Pour crier qu'il est malheureux. Pour que nous l'entendions enfin.

Grégoire pousse un immense soupir. Charlotte le regarde, attrape son bras, l'entraîne dans la cuisine.

– Un p'tit café. Et sans discussion !

En dehors de nos deux portables – dont nous nous servons peu, contrairement au reste de la famille –, nous avons trois téléphonse fixes à la maison : le noir dans le salon, le bleu dans notre chambre, le vert dans la cuisine.

J'aime appeler maman ou mes amies tranquillos sur le bleu. Le noir – sans fil – sert aussi pour le jardin. C'est sur le vert que Grégoire crie au secours quand il est en manque de tire-bouchon.

Charlotte s'assoit devant la table, son mobile sous le nez. Je mets la machine à expresso – cadeau de fête des Mères – en marche. Lorsque j'étais allée rendre visite à Audrey, elle avait allumé une cigarette par défi. Ce café bien serré, à trois heures de l'après-midi, signifiera la même chose : chienne de vie !

Dans la cour, nos deux voitures : Paquebot et Rugissante. Le vélomoteur de Gauthier viendra-t-il s'y ajouter ? Mon Dieu, s'il Vous plaît ! J'ouvre la porte pour mieux l'entendre venir. Seul pénètre le vent mauvais.

– Et les enfants qui vont bientôt rentrer ! se lamente Charlotte, les yeux fixés sur Mickey. Qu'est-ce que je vais leur dire ?

Je sors soucoupes, sucre et cuillères.

– La vérité ! De toute façon, ils la connaissent depuis longtemps : c'est la guerre entre Audrey et Jean-Philippe. Ils ont même un nom pour ça : la haine. Ils l'emploient souvent à tort et à travers, seulement aujourd'hui, c'est vrai.

Les tasses sont pleines. Je les pose sur les soucoupes et en fais partir une troisième pour moi. La colère m'étouffe.

– Tu pourras ajouter que tous autant que nous sommes, nous avons été nuls. Il a fallu que Gauthier se saborde en n'allant pas passer un examen qu'il avait bûché toute l'année pour qu'on comprenne qu'il touchait le fond. Bravo, la famille !

Ma voix a flanché : une grande famille, ça peut servir à se sentir plus seul encore.

Grégoire laisse tomber un sucre de canne entier dans sa tasse. Charlotte a posé la main sur son portable comme pour l'encourager à sonner. Ça me donne une idée.

– Je reviens.

Je traverse le salon et grimpe dans ma chambre. Vite, mon agenda ! À quelle page ai-je noté le mobile de Gauthier qu'Audrey m'a donné l'autre jour ? Le voilà. Je ne suis sûrement pas la première à y penser mais ma fille n'a-t-elle pas dit qu'il viendrait peut-être ici ? Rien à perdre à l'y encourager.

Je forme le numéro. Musique guerrière. Voix du bachelier, imitation James Bond.

« Soyez clair, net, précis. Nous vous rappellerons. »

Sur les messageries, il paraît que c'est la *Lettre à Élise*, de Beethoven, qui remporte le plus de suffrages. Ensuite, une cantate de Bach. Nos petits-enfants, plus modernes, surfent dans l'air du temps : Guignols et compagnie.

J'attends le bip et ni claire, ni nette, je réponds à James Bond.

« C'est Babou, mon chéri. Je t'en prie, viens vite. On t'aime. »

Et raccroche en vitesse avant les chutes du Niagara.

Dans le tiroir de la commode, je choisis un ample mouchoir de rhume et redescends à marches comptées. Il est plus long pour une grand-mère de se « refaire un visage », c'est-à-dire de tricher sur l'état de son cœur.

– Tu en as mis du temps, qu'est-ce que tu fabriquais encore ? grommelle Grégoire qui, tout commandant qu'il est, a l'air d'un noyé.

Je montre le mouchoir et m'attable devant mon café. Il est froid. Tant pis. De toute façon, rien que de le sentir, j'ai l'estomac qui se soulève. Je le vide dans l'évier.

– Il y a au moins une bonne nouvelle : les parents de Jean-Philippe sont en croisière en Grèce. Injoignables ! tente de plaisanter Charlotte. Ils ne sont pas encore au courant pour la rupture. Évidemment, quand ils accosteront, ils recevront tout le paquet en pleine poire. Pauvres Lise et Henri !

Personne ne rit. Quatre heures. Dans la cuisine-lieu-de-rencontres, il n'y a plus que trois silences de plomb, trois regards scotchés à la cour, six oreilles tendues vers la téléphonie.

Lorsque l'appareil vert sonne au mur, c'est Grégoire le plus rapide. Il met le haut-parleur.

Voix de Jean-Philippe.

– C'est vous, père ? Pas de nouvelles ?

« Père »... et moi, « mère ». Notre gendre nous a toujours appelés ainsi. C'est démodé ? Cela me manquera.

– Non, aucune nouvelle, répond Grégoire. Et vous ?

– Nous avons pu joindre le proviseur. Lui non plus n'y comprend rien. Il nous recevra demain matin. La seule chose qui compte pour l'instant, c'est de retrouver notre fils.

La voix s'est cassée. Raclement de gorge. Nous pouvons tous imaginer les mâchoires serrées de Jean-Philippe. On se « tient », chez les Réville.

– Pardonnez-moi. Pour l'instant, nous appelons ses amis. Jusqu'à présent, sans résultat. Ils tombent des nues. Tim et Adèle ne devraient pas tarder à revenir du cinéma. Ils sauront peut-être quelque chose. Audrey tient à ce que vous ne bougiez pas. Nous vous rappellerons.

Grégoire remet l'appareil en place. Charlotte prend son mobile.

– Et si j'essayais le portable de Gauthier ? Sait-on jamais.

J'avoue, sans regarder mon mari : « Je viens de le faire. Il est sur messagerie. »

– Alors tu as entendu le soldat Ryan ? demande ma fille avec un rire sans joie.

La musique du soldat Ryan ? Pas celle de James Bond ?

C'est comme un coup de poing dans ma poitrine. Une houle l'emplit. *Il faut sauver le soldat Ryan...* le film américain sur le jour J.

Et tout s'éclaire soudain dans ma tête, se lie, s'enchaîne.

« Grand et fort comme le Pacha. Pan ! Pan ! »

Et Audrey il y a un instant : « Ça fait trois jours qu'il nous bassine avec toi, papa. »

Mais ce n'est pas le pire. Le pire, c'est Capucine.

« Gauthier a demandé au Pacha de lui donner des cours de tir. »

Mon Dieu, non !

Je sors de la cuisine, me précipite dans le bureau de Grégoire, pousse une chaise jusqu'à la bibliothèque : le Mac 50 n'est plus dans la corniche.

Je grimpe quatre à quatre les marches jusqu'à ma chambre : la boîte de balles a disparu du tiroir de Grégoire.

Charlotte et lui apparaissent à la porte. Grégoire est blême. Il a compris.

– Je crois savoir où est Gauthier, dis-je.

19

Charlotte a tenu à venir avec nous : tant pis pour son restaurant, Boris se débrouillerait. Elle lui a demandé de ne rien dire aux enfants des tristes exploits de leur cousin. Recommandation inutile à mon avis. Le téléphone arabe s'accouplant aujourd'hui avec le mobile, ils seraient au courant bien avant qu'elle ne revienne.

Bien que le ciel s'éclaircisse enfin, la pluie continuait à tomber. Ce ne sont pas les cirés qui manquent à nos portemanteaux, Charlotte a attrapé n'importe lequel et l'a enfilé sur son short. J'ai tendu son caban et sa casquette de marin à Grégoire.

Pas un mot depuis que la disparition de l'arme et des balles avait été constatée. Les mêmes questions que les miennes devaient le torturer. Quand Gauthier était-il venu les chercher ? Par qui avait-il appris où les munitions se trouvaient ? Et le pire : dans quel but s'en était-il emparé ?

À l'idée qu'il puisse s'en servir contre lui-même, j'avais l'impression de mourir.

Que de fois avais-je supplié Grégoire de se débarrasser de son arme ! Comme il devait se sentir coupable. Avant de monter dans la voiture, j'ai voulu lui prendre la main. Il m'a repoussée.

Ni excuse, ni pitié ?

Sitôt en route, j'ai appelé Audrey sur le mobile de Charlotte.

– Gauthier est peut-être à Ouistreham. Nous y allons.

– Mais pourquoi Ouistreham ? s'est-elle exclamée. Et je vous avais demandé de rester à la maison.

– Écoute, s'il avait décidé de venir ici, il l'aurait déjà fait. J'ai des raisons de penser qu'il est là-bas.

Je ne tenais pas à en dire davantage. Audrey a gardé un moment le silence ; le temps de se souvenir que le grand-père avec lequel Gauthier la « bassinait » était né à Ouistreham ?

– On vous rejoint au monument, comme d'habitude, a-t-elle décidé.

Construit sur un ancien blockhaus, tout près de la plage, le monument à la mémoire des soldats tombés lors du Débarquement avait toujours été le lieu de ralliement de la famille.

Autre maillon de la chaîne qui avait mené Gauthier à sa décision d'aujourd'hui ?

– Quelles sont ces « bonnes raisons » de penser qu'il est là-bas ? m'a demandé Charlotte, aussi perdue que sa sœur.

Je lui ai raconté brièvement la conversation que j'avais eue avec Gauthier sur le Débarquement. Bien qu'édulcorant autant que possible la place tenue par Grégoire dans celle-ci, je sentais que chacune de mes paroles le poignardait.

– Mon Dieu, quel mauvais jeu de rôles nous a-t-il encore inventé ? a-t-elle essayé de plaisanter.

Gauthier avait été un fanatique de jeux de rôles avant de se reconvertir dans le théâtre. Pour Noël, à son lycée, nous avions eu droit à une adaptation d'un roman d'Agatha Christie, où il interprétait un assassin.

Pan ! Pan ?

Avec un pistolet chargé à blanc.

Et, ce soir, c'était au tour du grand-père de jouer les Schumacher.

Le bleu avait remporté la victoire dans le ciel lorsque nous avons traversé le fameux Pegasus Bridge. Ce pont avait lui aussi sa belle histoire : celle de ce soldat écossais qui y avait marché, tête haute, sous les tirs des snipers, en jouant de la cornemuse pour indiquer qu'il était pris.

Dans le bourg d'Ouistreham, sur la place de l'Église, se dressait, inchangée, la maison blanche à toit gris où j'avais fait la connaissance des parents de Grégoire.

Son père, Joseph, était directeur d'école. Sa mère, secrétaire de mairie. Ils m'avaient reçue à bras ouverts et, près d'eux, après la chape de plomb posée par mon père sur la famille, j'avais appris que l'amour pouvait être joyeux.

Après leur mort, grâce à la vente de leur maison, nous avions pu acheter la nôtre. La pendule du salon, la commode de notre chambre nous les rappelaient chaque jour et c'était bien ainsi.

L'église Saint-Samson était en oraison, chantant de toutes ses tuiles dorées par le temps – une bonne dizaine de siècles, quand même – le retour du soleil. Bedeau fidèle, l'antique érable ombrageait de ses ramures le blanc monument aux morts pour la Patrie. Le quart de six heures a sonné. SOS, mon Dieu !

Nous sommes arrivés au rendez-vous en même temps que les Réville. Audrey a jailli de sa voiture et s'est précipitée dans mes bras.

– Où est-il, maman ? Où est-il ?

Jean-Philippe a d'abord serré la main de Grégoire puis il s'est arrêté devant moi et il a hésité. Nous ne nous étions pas vus depuis que notre aînée nous avait sorti « tout le paquet » le concernant. Et, dans le paquet, sa liaison avec Anastasia.

Son regard m'appelait à l'aide. J'ai tendu la joue. Il n'y avait plus qu'un père désespéré et un enfant à retrouver d'urgence.

– Regardez, a crié soudain Audrey. Regardez ! C'est son vélomoteur, je le reconnais.

L'engin avait été jeté au bout du parking. Jean-Philippe a couru. C'était bien celui de Gauthier. Il l'a remis sur ses roues puis nous avons grimpé le sentier de sable fin entre les dunes.

La mer était basse, la plage déserte, livrée aux oiseaux.

Déserte ? Pas tout à fait.

Là-bas, près de la mer, une silhouette s'agitait. Non loin de celle-ci, un petit groupe semblait être au spectacle.

– Restez là, a ordonné Grégoire. J'y vais.

– Et puis quoi encore ? On y va aussi, a protesté Audrey.

Le Pacha s'est tourné vers elle. Sans doute avait-il fallu du courage au jeune homme pour s'engager le jour J. Il m'a semblé qu'il en fallait davantage au père d'aujourd'hui pour répondre à sa fille.

– Gauthier a pris mon revolver. Ce n'est pas à toi qu'il le rendra.

Audrey s'est figée.

– Ton... ton Mac 50 ?

Grégoire a incliné la tête.

– Avec les balles ?

– Avec...

Jean-Philippe a tourné brusquement son visage incrédule vers moi, comme attendant que je nie. Audrey s'est jetée sur son père. Elle a agrippé son caban.

– Mais est-ce que tu te rends compte de ce que tu as fait ? a-t-elle hurlé. Est-ce que tu te rends compte ? On ne t'avait peut-être pas demandé de t'en débarrasser ?

Grégoire n'a pas répondu. Droit sous la tempête, mais le visage ravagé, il regardait au loin : un regard de condamné devant le peloton d'exécution.

– « Il n'y a aucun risque... Il est en sécurité... Là où il est, personne n'ira le chercher... », l'a imité sa fille. Eh bien, tu vois, quelqu'un y est allé.

La haine a enlaidi son visage :

– TON Mac 50, TA *Jeanne*, TON foutu Scrabble, TON jardin... finalement, tu n'as jamais pensé qu'à toi, papa. Quant à Gauthier, tu t'en es toujours foutu.

– Arrête, Audrey, a crié Charlotte en tirant sa sœur en arrière. Arrête.

Sur la plage, un coup de feu a retenti.

20

Grégoire a tourné le dos à Audrey et il s'est élancé. J'ai suivi. Charlotte a eu un cri de protestation : « Non, maman ! Pas toi. » Je n'ai pas répondu. Économiser ses forces, ne pas gaspiller son souffle. Les règles de base des cours de self-defence que j'avais pratiqués autrefois.

La pluie avait mitraillé le sable, les cabines de bain étaient toutes fermées, près de la mer, il ne restait qu'une seule silhouette, les autres couraient dans notre direction : deux couples en cirés.

Nous croisant, l'un des hommes a lancé :

– N'y allez pas. Il est fou. On prévient la police.

Nous avons continué. La gorge me brûlait, mon cœur cognait contre mes côtes, qu'importait ? Le garçon, là-bas, c'était Gauthier et il était vivant.

Mes filles m'ont encadrée, Jean-Philippe a rattrapé Grégoire quelques mètres devant. Le sable s'est durci, il s'est orné de flaques, agrémenté de goémon. Un gros bateau était arrêté en bordure de ciel. Aujourd'hui, ceux qui nous venaient d'Angleterre s'appelaient « ferries ».

Nous n'étions plus qu'à quelques mètres de Gauthier lorsqu'il a tiré à nouveau, semant la panique parmi les oiseaux. Dix balles dans le chargeur. Combien lui en restait-il ?

Grégoire a levé la main et tout le monde s'est arrêté. Il s'est plié en deux pour reprendre son souffle, allant chercher loin une respiration douloureuse. Il consultait depuis peu un médecin, étant sujet à des crises de tachycardie. À nouveau, j'ai adressé un SOS à Dieu.

Il s'est relevé et il a regardé la scène. Le spectacle avait bien commencé.

L'acteur portait un pantalon de camouflage vert-brun, T-shirt et casquette assortis, de hautes godasses de soldat. Il était si trempé qu'il semblait sortir de la mer.

Le jour J ?

« Pile-poil le jour de mon bac de français », avait-il dit.

« Les Allemands, aussi nombreux que les mouettes », avais-je raconté.

C'était à elles qu'il s'adressait, elles qu'il menaçait en gesticulant et en brandissant son arme.

Seigneur !

Le grand et beau garçon, le brillant candidat au bac de français, l'élève sans problème, n'était qu'un enfant qui se livrait à un dérisoire jeu de rôle : « On dirait que c'est la guerre et que je suis un Béret vert... On dirait que les mouettes, c'est les Allemands, et moi... »

Et lui, Grégoire ?

Gauthier s'était-il, comme annoncé, « saoulé la gueule » ? Avait-il fumé un pétard ? Il n'était plus lui-même. Il était hors de lui-même.

– Laissez-moi ! a ordonné Grégoire et, cette fois, nul n'a songé à discuter.

Le grand-père aux cheveux blancs a marché vers le petit-fils. Au loin, une sirène de police a retenti. Ils n'avaient pas été longs.

– Gauthier, a appelé Grégoire.

Gauthier s'est retourné. Découvrant qui était là, il s'est d'abord figé. Puis il a ri, puis il a pointé son arme vers les oiseaux et il a tiré à nouveau.

Audrey a réprimé un cri. J'ai saisi le bras de Jean-Philippe pour l'empêcher d'intervenir :

– Laissez-les.

– Regarde-moi, a ordonné Grégoire.

Gauthier a obéi.

Derrière nous, des hommes couraient.

– Il paraît que tu envisages de devenir marin ? a demandé le grand-père d'une voix forte. Alors, leçon numéro un : un marin ne tire jamais sur les mouettes.

Il a tendu la main.

– Et maintenant, donne-moi cette arme.

C'était la voix d'un commandant et le Béret vert n'a pas hésité, il a rendu le Mac 50. Grégoire l'a calmement glissé dans la poche de son caban, puis il a ouvert les bras.

L'enfant y est tombé.

« Tu mens très bien, Babou », avait admiré Gauthier lorsque j'avais affirmé être victime d'une crampe aux policiers.

Et Grégoire, donc !

Il a déclaré aux gendarmes qu'il était le seul responsable de tout. Il était venu ici donner des cours de tir à son petit-fils et avait eu le grand tort de le laisser seul un moment. Les promeneurs s'étaient affolés pour rien.

Tandis qu'il s'accusait, le petit-fils se contentait de fixer le grand-père comme si celui-ci était Kieffer, le commandant des fusiliers marins en personne.

– Désormais, plus un seul mot, lui avait ordonné Grégoire avant le débarquement des militaires.

Nous nous sommes tous retrouvés à la gendarmerie, mais seuls les prévenus ont été reçus par le capitaine. Nous, les témoins, avons été priés d'attendre dans le couloir. Nous n'avons pas prononcé un mot, de crainte de contredire les déclarations faites derrière la porte.

Une heure plus tard, nos hommes nous étaient rendus. Gauthier innocenté, Grégoire condamné à une forte amende pour trouble à l'ordre public et détention d'arme non déclarée. Avec son consentement, celle-ci serait détruite.

Rougemont est un nom bien connu à Ouistreham. Il est inscrit sur les murs de l'école, le marbre de la mairie et la pierre blanche du monument aux morts pour la Patrie. Sans compter la stèle des soldats du feu, et la caserne des pompiers.

Comment les autorités auraient-elles mis en doute la parole du commandant de la *Jeanne*, digne fils de son père ?

Nul n'avait, par bonheur, songé à aller voir dans les poches du petit-fils où l'on aurait trouvé, certes détrempé, tout le nécessaire pour se rouler quelques pétards.

Avant de remonter dans sa voiture, Audrey, honteuse, s'est approchée de son père.

– Pardonne-moi pour tout à l'heure, papa. J'avais tellement peur. J'ai dit n'importe quoi.

– Et moi, j'ai FAIT n'importe quoi, s'est contenté de répondre Grégoire.

Ils se sont embrassés, Audrey à nouveau belle malgré ses cheveux pendouillant autour d'un visage ravagé par les larmes.

Cette leçon-là s'est gravée en moi pour toujours : la haine n'est jamais loin de l'amour. Il n'est pas de beauté sans faille. Tout peintre sait également que le mal a parfois de bien tentantes couleurs : l'ange de lumière et celui des ténèbres n'en finiront jamais de se disputer le terrain de la vie.

Mais lorsque l'amour et la beauté l'emportent, ils n'en sont que plus assourdissants d'espoir.

– Alors, ça s'est passé comment avec les gendarmes ? a demandé Charlotte à son père sitôt la voiture démarrée. Apparemment, tu les as bien eus !

Grégoire a d'abord gardé longuement le silence. Puis il a ordonné, et la prescription valait pour nous deux :

– Plus jamais un mot sur le sujet.

Comme ce « jamais » durerait longtemps ! Comme il me pèserait.

Maman m'a appelée samedi matin. Avec tout ça, j'avais oublié ma promesse de tenir Le Cigalou au courant du résultat de l'épreuve.

Épreuve, il y avait bien eu. Et jour le plus long aussi.

J'ai seulement dit :

– Cela n'a pas été facile, mais tout va bien maintenant. Je te raconterai.

Deuxième partie

Deux championnes toutes catégories

21

Marie-Rose pose un paquet à ruban doré sur mon assiette.

– Surprise !

J'ouvre avec convoitise. C'est une broche papillon aux couleurs enflammées. Je l'agrafe au revers de ma veste. Diane me sourit de toutes ses dents à l'américaine, trop belles pour être vraies. J'ai une boule dans la gorge et un tonitruant « enfin » dans la poitrine.

Enfin, mes Grâces (déesses de la Beauté) me sont revenues. Bronzées à point, ni trop blanches, ni trop cuites, le regard encore éclairé par ce qu'elles ont vécu.

Nous fêtons nos retrouvailles en festoyant à La Grande Marée, kir royal et coquillages à volonté. Comme je l'ai attendu, ce moment ! Me lâcher tout un mois alors que j'avais tant besoin d'elles, on n'a pas idée !

Pour commencer elles ont passé une quinzaine chez des amis de Diane à Cayenne. L'autre à visiter la Guyane profonde. Ce sont les nuits que Marie-Rose a préférées. Les pierreries palpitant au baldaquin du ciel, qui lui racontaient les mystères de l'univers. Diane, elle, a vibré au sourd tam-tam des forêts, martelant la beauté et la cruauté de la vie.

Ma parole, ce sont deux philosophes qui me sont revenues.

Je regarde ma Diane, petit doigt levé, explorant l'intérieur d'une langoustine avec son crochet.

– Et que chantait le caïman noir sous ton hamac ?

– Il rêvait d'un steak bien tendre croqué dans sa chair, la devance Marie-Rose.

– Sache, ignorante, que le grand ordre des Crocodiliens ne croque pas mais avale tout rond, la reprend Diane. Quant à ta chair à toi, il se la garde pour le régime.

Comme je les ai attendus aussi, ces rires partagés !

– Tu aurais dû venir. Rien que pour renouveler ta palette, me gronde Marie-Rose. Là-bas, les couleurs flambent. La forêt émeraude, les singes roux, les hérons bleus...

– Les orchidées à faire se pâmer Proust, enchaîne Diane, les restaurants typiques...

Je me bouche les oreilles.

– Arrêtez ! Vous allez me donner des regrets.

– On l'espère bien. Et, le prochain voyage, que tu le veuilles ou non, on t'emmène.

« On t'emmène »...

Autrefois, c'était mon père qui refusait que je parte, et déjà je devais me contenter des récits de mes amies. Cinquante années plus tard, rebelote. Mais cette fois, c'est mon cœur qui décline les invitations : Grégoire et ses tire-bouchons... les petits.

Et puis, hors de prix, la Guyane !

Et je n'avais pas encore mon aile en or.

Je pioche un oursin dans le plateau. Marie-Rose fait de même et le heurte au mien.

– Tchin ! Et maintenant, toi, raconte !

Et alors que depuis des semaines je ne rêve que de me confier, m'épancher, crier un bon coup, pourquoi pas ? voilà que je m'entends répondre le plus calmement du monde :

– Moi ? Rien de particulier.

D'abord, ce restaurant fait pour la fête n'est pas l'endroit où déballer « tout le paquet ». Ensuite, le paquet est trop gros et trop compliqué. Par qui commencer ? Audrey ou Gauthier ? Pour mes amies, Audrey est la fille sans histoire. Quant à Gauthier, le garçon dont je leur ai certainement le moins parlé, celui dont les reins fonctionnent normalement, né d'un père et d'une mère « église-mairie », à la scolarité sans problème, se souviennent-elles seulement qu'il passait cette année son bac de français ? Et puis, le bac de français, ce n'est pas le vrai. C'est celui de terminale qui compte. Et encore ! Quatre-vingts pour cent de reçus, est-ce bien sérieux ?

Et si je commence, ne faudra-t-il pas que je parle de Jean-Eudes et du bébé sans identité ? Ne devrai-je pas leur raconter qu'Anastasia, dont elles admirent la beauté et la carrière de mannequin, n'est qu'une dévergondée – je suis polie – qui séduit mon gendre avant de s'attaquer à mon fils ? Certains secrets de famille sont si laids qu'ils vous salissent rien qu'à les déballer.

De toute façon, ma réponse leur a suffi : que pourrait-il arriver de particulier à une grand-mère au mois de juin, sous le climat tempéré du pays d'Auge ?

Elles sont déjà parties sur un autre sujet.

– Et comment se présente ton été ? Tu as qui ? demande gentiment Diane dont les enfants sont éparpillés un peu partout à cause d'un époux autrefois diplomate, et qui n'a plus à s'occuper que de celui-ci et d'elle-même dans leur résidence de luxe.

– J'ai Capucine et Adèle depuis déjà quelques jours.

Juillet est un mois chargé pour Charlotte. Les touristes viennent nombreux admirer la curiosité : une isba ukrainienne sous les pommiers normands. Je l'ai donc libérée en prenant Capucine et en invitant Adèle pour lui tenir compagnie. Ne les appelle-t-on pas les « inséparables » ? Je les ai inscrites à un stage de tennis à Caen. Elles se rêvent déjà championnes.

– Tatiana, elle, toute fière, est partie chez une amie.

– Et les garçons ?

– Tim et Victor font un camp de scouts marins.

– Et ton Pacha ? Il prospère ?

Mon pauvre Pacha, prospérer...

Je m'éclaircis la gorge. Il est encore temps de dire la vérité.

– Grégoire fait une croisière de quinze jours en Irlande avec Gauthier.

– Gauthier ? C'est bien chez Audrey, n'est-ce pas ? se renseigne Diane, qui a quelque mal à se repérer dans mes arbrisseaux. Le numéro combien ?

– Le numéro un : avant Tim et Adèle.

– Alors, si je comprends bien, tu es libre ? s'émerveille Marie-Rose en heurtant cette fois son verre au mien. À nous la grande vie !

Le serveur est déjà là pour nous resservir du vin. Marie-Rose et Diane repartent à l'assaut des fruits de mer. Moi, itou. Je ne vous dirai pas, mes amies, que le proviseur du lycée de Gauthier, considérant comme une trahison la défection d'un de ses élèves les plus brillants, ne voulait pas le reprendre, d'autant que son enquête avait révélé, trahison supplémentaire, qu'il lui arrivait de fumer du hasch en compagnie de mauvais sujets.

Ni que les parents de l'« enfant ping-pong », très provisoirement main dans la main, étaient allés plaider coupables et avaient obtenu qu'il passe en terminale, à l'essai.

Je ne vous raconterai pas que, le lendemain de l'équipée sur la plage, Grégoire s'était précipité chez Audrey et que, dans la chambre de Gauthier, devant sa propre photo en uniforme, entre Zizou et Christophe Auguin, ma fille ne pouvait assurer que le commandant de la *Jeanne* n'ait pas pleuré.

Elle, oui.

Ni que si Grégoire s'est mis en quatre pour se faire embarquer avec son petit-fils sur le *Yes, Sir* – seize mètres, départ d'Ouistreham –, c'est dans l'espoir de convaincre le soldat Ryan de reprendre ses études. Car le proviseur a peut-être cédé aux prières d'Audrey et de Jean-Philippe, mais le futur bachelier ne s'est, lui, encore engagé à rien.

« Tu sais, Babou, c'est sur la route d'Irlande que Tabarly est passé par-dessus bord », m'a-t-il confié en guise d'adieu.

Je l'aurais tué.

Et je ne raconterai pas non plus à mes amies que j'ai été soulagée de voir partir un Pacha écrasé par le remords de n'avoir pas su voir la fragilité de l'arbrisseau, d'avoir failli à son devoir de grand-père.

« Pas un mot sur le sujet ! »

J'ai essayé en vain d'ouvrir la porte blindée. Rien. Pas même une colère, pas même une protestation. Le silence, un visage de pierre. Vivement qu'on s'engueule à nouveau. Ce n'est pas un couple, ça ! N'est-ce pas, Lulu ?

Voilà tout ce que je garderai pour moi, comme autrefois je cachais ma peine et ma solitude à celles qui me décrivaient leurs belles escapades. Et cette fois, même à ma mère je ne suis pas encore parvenue à livrer le fond de mon cœur, c'est dire. Un jour peut-être, on verra bien.

Sachez seulement, les nouvelles philosophes, qu'entre l'ange de la lumière et celui des ténèbres retentissent les trompettes de la douleur et de la peur, et qu'il n'est pas nécessaire d'aller jusqu'en Guyane pour voir brûler les couleurs.

Sur la terre comme au ciel.

Que se racontent-ils, le vieil homme et l'enfant, dans le chahut de la mer et le chambard des étoiles ?

J'ai décidé de leur faire confiance. C'est tout ce que j'ai à leur offrir pour l'instant.

22

Terminée également la croisière des Réville, parents de Jean-Philippe. Ils m'ont appelée ce matin. Pouvaient-ils passer à « La Maison » dans l'après-midi ? Mon heure serait la leur.

Ils n'ont pas parlé de Grégoire, ayant sans doute appris par leur fils l'embarquement du Pacha sur le *Yes, Sir* avec Gauthier.

À la voix crispée de Lise, j'ai compris que ce n'était pas pour me parler des couleurs de la mer Égée, ni des ruines du Parthénon, qu'elle souhaitait me voir avec son mari. Je les ai invités à prendre le thé.

Le stage de tennis d'Adèle et Capucine ne débutant que la semaine suivante, Justino les avait invitées à venir assister à son spectacle de marionnettes à L'Étoile.

L'Étoile est la maison où Thibaut accueille des petits en difficulté familiale, ses « bandits », comme il les appelle. Notre Indianos, Justino, qui, enfant, a connu des galères au Brésil, seconde efficacement son père durant les vacances.

Tous deux sont venus chercher mes pensionnaires après le déjeuner. Je n'avais pas vu mon fils depuis les révélations d'Audrey sur Anastasia. D'après celle-ci, Thibaut ignorait qu'avant de tomber dans ses bras Anastasia était passée par ceux de son beau-frère.

Vivant dans la crainte qu'il ne l'apprenne, je l'avais tenu autant que possible à l'écart des turbulences familiales.

Il me l'a affectueusement reproché. N'était-ce pas par le téléphone arabe-Justino qu'il avait appris les malheurs de Gauthier ? J'aurais pu le mettre au courant, quand même !

J'ai reconnu, regretté, embrassé et été pardonnée. Je n'ai pas dit mot de la visite des Réville à cinq heures.

L'apparition des cousines en tenue de séductrices, bracelets multiples et nombrils à l'air, a fait passer un air de danse dans l'atmosphère. Justino a tourné autour des filles en poussant des cris d'Apache, Thibaut m'a embarqué tout ça, promettant de me rendre mes pensionnaires en bon état en fin d'après-midi.

Il les laisserait au bout du chemin, avant de filer chercher Anastasia à son studio où elle tournait un film publicitaire sur la prochaine collection d'automne. Ça marchait fort pour elle, m'a-t-il appris avec fierté.

Pas tellement fort pour nous, merci. Au revoir, mon fils, amusez-vous bien, les stars.

J'ai sorti théière et sucrier en argent de leur papier de soie, disposé sur de la porcelaine le cake acheté le matin au supermarché, avec fruits confits bien répartis et non pas agglutinés en bas du gâteau comme dans ceux de ma confection. J'ai troqué mon bermuda contre une jupe, et mes baskets contre des sandalettes à brides et petits talons et me suis préparée au pire.

Bermuda, baskets et chemise de tennis haute couture, Lise arbore sa tenue « visite à la campagne ». Henri, lui, porte pantalon blanc, blazer marine et

Légion d'honneur. Ils m'embrassent du bout des lèvres avec des sourires contraints. Je les installe sous le parasol de Lulu et cours verser dans la théière l'eau que j'ai arrêtée et remise dix fois sur le feu pour être prête à les servir dès leur arrivée.

– Un peu de lait ?

C'est oui pour Lise et moi, citron pour Henri, pas de sucre pour les femmes, deux pour l'homme et après ça Simone de Beauvoir ira prétendre qu'il n'y a pas de différences entre les sexes !

– Une part de cake ? Il est confectionné maison.

Gros mensonge mais que ne ferait-on pour amortir le séisme à venir. À chacun ses airbags.

– Merci non. Nous avons déjeuné tard.

C'est bien ma chance, j'ai tout coupé ! Il va sécher. Penser à le mettre en bas du réfrigérateur dans du papier d'aluminium. J'en prends une tranche, tant pis ! L'entame. Ce que je préfère. Comme l'entame des rôtis, comme les chambres du fond qui sont l'entame des maisons.

On n'entend plus que le bruit des cuillers tournées dans les tasses et le jacassement hostile de Lulu perchée sur le rosier rugueux. Elle a ses têtes.

Henri se lance.

– Quelle bonne idée a eue Grégoire d'emmener Gauthier en Irlande pour le changer d'air.

L'air vicié familial ?

J'approuve vigoureusement du chef.

– Mais qu'est-ce qui a donc pris à notre Audrey ? attaque Lise plus franchement, avec un « notre » qui mord.

Et qu'est-ce qui a pris à « notre » Jean-Philippe ?

– Vous savez, Lise, dans les histoires de couple, il faut se garder de juger. Il est rare qu'un seul soit coupable.

– Connaissez-vous ce Jean-Eudes ? insiste-t-elle lourdement.

« Connaissez-vous cette Anastasia ? » lui lancerais-je bien dans les gencives.

– Nous ne l'avons jamais vu, dis-je, appelant Grégoire à la rescousse : deux contre deux.

Henri vide sa tasse d'un coup.

– De nos jours, sans juger pour autant, claque-t-on la porte pour une simple infidélité ? demande-t-il. Que celle-ci vienne d'ailleurs de l'un ou de l'autre ?

Le regard de Lise transperce soudain son mari comme un coup de feu. Tiens, tiens !

– Je m'en voudrais d'accabler Jean-Philippe, mais il semble que de sa part on ne peut parler d'une simple infidélité, dis-je en pensant à cette garce d'Anastasia qui, d'après ma pauvre fille, a mis le feu à la fusée.

– Notre fils s'est engagé à tout arrêter, réplique Lise d'une voix cinglante en tirant un nouveau coup de feu sur son mari, qui fixe ses mocassins d'un air penaud.

Henri ne se serait-il pas engagé ?

Le silence retombe. Je ressers du thé. Même scénario que précédemment : lait, citron et sucre. Toujours pas de cake ? « Toujours pas, non merci, il a l'air délicieux. »

Il l'est ! Je prends l'autre entame. Mon déjeuner à moi – heure de paysan – est loin. C'est mal élevé de tremper ? Au point où j'en suis, je trempe. Ça ne changera rien à la situation catastrophique de la famille.

– Pour en revenir à Gauthier, c'est une chance que le proviseur ait finalement accepté de le reprendre. Un garçon si brillant, si doué. Quel gâchis !

Savent-ils que le garçon dont ils sont fiers fume du hasch à l'occasion et que lui ne s'est pas encore prononcé pour la reprise de ses études ? Et sont-ils au courant pour le bébé sans nom ? Seigneur, je l'oublie tout le temps, celui-là. Je peux bien afficher des airs chébrans, je ne dois pas l'avoir encore vraiment accepté.

Lise m'adresse un sourire suppliant.

– Chère Joséphine, ne pourriez-vous essayer de raisonner votre fille ? Je suis sûre qu'elle vous écoutera.

Et moi certaine du contraire. Ni Audrey ni Charlotte n'en ont jamais fait qu'à leur tête. Je suis une éducatrice déplorable.

Je m'apprête à l'avouer lorsqu'une déferlante traverse le salon au cri de :

– Babou, Babou, tu es là ? On a quelque chose de super à te montrer.

Et deux diablesses s'abattent sur la terrasse.

23

Découvrant ses grands-parents paternels, Adèle pile net, se transformant dans la seconde en petite fille modèle. La voilà, la bonne éducation ! Tout juste si elle ne fait pas la révérence, bien que le short ne soit pas la tenue la plus appropriée.

– Bonjour, grand-père, bonjour, grand-mère.

Capucine tend poliment ses joues mais ne rend pas le bisou. Mauvais signe quand on ne rend pas.

– C'est le cake du supermarché, Babou ? On peut en prendre ? Et tu as pensé aux yaourts au citron ? s'enquiert Adèle.

Aïe pour le cake du supermarché, oui pour les yaourts au citron.

Sur ce, les doryphores se jettent sur le gâteau et commencent à le dépouiller de ses fruits, ne les appréciant pas.

– Et cette chose super à montrer à Babou ? s'enquiert Lise d'un stupide ton « bébé ».

Capucine consulte Adèle du regard. Celle-ci hésite puis se lance. Avec un sourire malicieux, elle relève la manche de son T-shirt.

– Mais qu'est-ce que c'est que ça ? demandent trois adultes d'une même voix horrifiée.

Une sorte de hiéroglyphe de plusieurs couleurs s'étale sur l'épaule juvénile.

– C'est un tatouage tribal, explique Adèle. Ça éloigne les mauvais esprits. C'est Justino qui me l'a payé.

– Le monsieur faisait aussi les piercings, enchaîne Capucine. Mais, sur le nombril, ça met un mois à cicatriser et bonjour l'infection. Et si tu le fais sur la langue, tu ne peux rien manger de dur pendant six semaines au moins.

Lise avale de travers. Adèle enfourne un morceau de cake délesté de ses fruits et se tourne vers moi.

– Et puis, les piercings, ça porte pas bonheur, n'est-ce pas, Babou ?

Avant que j'aie pu confirmer, Capucine prend le relais.

– Flavie a un tatouage exactement le même et aussi sur l'épaule droite, apprend-elle à mes invités.

– Et qui est Flavie ? s'enquiert Henri, un brin dans le cirage.

– Tu connais pas, grand-père ? s'étonne Adèle. Flavie Flament, *Nice People* à la télé... D'ailleurs, elle aussi attend un bébé. Comme maman. Et Christophe et Julie viennent d'en avoir un, mais eux, c'est le loft. Tu connais le loft, grand-père ? Dans le journal, on a dit que c'était un « heureux événement ».

Nice People, *Loft Story* et l'heureux événement ont envoyé les Réville au tapis. Henri se relève le premier. Il désigne l'épaule d'Adèle d'un air sévère.

– Tu vas me faire le plaisir d'aller me nettoyer ça tout de suite !

– Mais c'est pas possible, monsieur, c'est un tatouage et les tatouages ça dure toute la vie, lui fait observer Capucine très poliment.

– Tu... tu ne vas pas nous dire que c'est un vrai ? s'étrangle Lise.

– C'est même le papa d'un bandit qui me l'a fait après la séance de marionnettes, répond Adèle en réprimant un fou rire.

– Eh bien, moi, je vais aller lui dire deux mots, à ce bandit, explose Henri, qui ne suit plus du tout. Cette marionnette ignore sans doute que pratiquer un tatouage sur une mineure, sans autorisation, est interdit par la loi. Cela pourrait lui coûter cher, très cher.

Il se tourne vers moi.

– À moins que cette autorisation, vous ne l'ayez donnée, Joséphine.

Je ne réponds pas. J'ai trop honte. Et Thibaut qui m'avait promis de me rendre ses nièces en bon état ! Et Justino qui a payé le tatouage à sa cousine ! Et moi qui, depuis des jours, parle à ces innocentes de porte-bonheur en me prosternant devant une étoile de mer, qui ne cesse de croiser les doigts et d'invoquer le ciel pour attirer le bon sort sur notre famille. Ah non, ce n'est pas un hasard si Adèle a choisi un tatouage qui chasse les mauvais esprits. Et voilà, par ma faute, sa ravissante épaule marquée pour toujours. Elle ne pourra pas porter de robe décolletée au bal et, sous la gaze de son voile de mariée – si avec ça elle trouve preneur –, imaginez l'effet désastreux du hiéroglyphe tribal !

– Allons-y, tranche Henri, prenant à juste titre mon silence pour un aveu. Je pense, Joséphine, que vous accepterez de nous montrer le chemin.

Je me prépare à désavouer la chair de ma chair en les conduisant à L'Étoile lorsque les poisons éclatent de rire.

– Mais c'était une blague, grand-père. C'est pas un vrai. Ça dure seulement une semaine si on se lave pas dessus.

Et elles s'envolent avec le reste du cake. Laissant fruits confits et grands-parents déconfits.

Qui est bien attrapé ? Qui a osé imaginer un seul instant que j'aurais pu autoriser leur Adèle, mon Adèle, à se faire imprimer à vie le tatouage de Flavie Flament ? Qui repart tout confus d'avoir fait montre de si peu d'humour ? Et, avant de démarrer, qui s'incline sur ma main en murmurant :

– Pardonnez-nous.

Et qui danse, sur un air de *Star Academy*, une java endiablée avec ses petites-filles ?

24

– Nous venons d'accoster à Dublin, m'annonce Grégoire. Escale de deux, trois jours. Peut-être une virée en Écosse. Gauthier se débrouille mieux que je ne le pensais à la barre. À part ça, il n'arrête pas de faire le clown, tu le connais.

Oh oui !

– Vous avez parlé du lycée ? Il est d'accord pour y retourner ?

– Ne sois pas si pressée. Je lui en parlerai le moment venu. Et à la maison ?

– Pas de problème. Les petites ont commencé leur stage de tennis. Elles adorent. Les Réville sont venus prendre le thé (j'ai moins adoré). Je te raconterai. À part ça, j'ai déjeuné avec Marie-Rose et Diane à La Grande Marée ; je suis incollable sur la Guyane.

Là-bas, ni rire, ni question malveillante, ni plaisanterie douteuse. Un long silence. On m'a changé mon homme.

– Je te passe Gauthier. Il veut te dire un mot. Je t'embrasse, Jo.

Et toi, tu me manques, Pacha. Tu me manques et tu ne m'as même pas laissé le temps de te le dire.

– Allô, Babou, ça va ?

– Ça va. Et mon conducteur ?

– Toujours vivant.

– J'espère bien. Je t'aime, Gauthier.

– Comme tout le monde. Bisous, Babou.

Je repose l'appareil. Un jour, il faudra que j'écrive les Mémoires d'un téléphone bleu. Ça craindra !

J'ai repris mes pinceaux, mon aile, mes transparences. Le calme était revenu à la maison et le bleu au ciel. Les : « Attends, on a besoin de toi » s'étaient calmés mais autre chose bloquait ma main : une question douloureuse.

Peut-on être à la fois une véritable artiste et une grand-mère accomplissant sa tâche ? Partager son âme et son souffle entre ketchup et air exaltant des cimes ? À moi, Élisabeth (Vigée-Lebrun), Sonia (Delaunay) et Marie (Laurencin)... Il faudrait que je me renseigne sur leur vie. Elles devaient bien, elles aussi, avoir enfants et petits-enfants, fils à la patte et au cœur. Cela ne les avait pas empêchées de peindre.

Faute de pinceau docile, j'ai empoigné ma plume et rempli quatre feuillets pour ma mère, le lingot en guise de presse-papier et, au bout du compte, quelques kilos en moins sur les voies respiratoires. Vite, réponds-moi !

– Quand on divorce, on a moins de sous, confie Adèle à Capucine. Et en plus maman n'a jamais travaillé, elle n'a fait que nous. Alors, avec l'avocat qui veut une provision et toutes les fringues à acheter pour le bébé, elle ne sait pas comment elle va y arriver.

– Quand on divorce, les papas donnent une pension pour les enfants, la rassure Capucine du haut de son expérience.

Je désherbais autour des pommes d'amour – ordinairement appelées « tomates » –, tâche confiée par Grégoire durant son absence, lorsque les filles se sont installées sans méfiance sous les branches protectrices du saule, non loin du potager.

Dois-je les avertir par une toux discrète que je suis là ?

Trop tard. C'est reparti.

– Et puis l'appart est à papa, on va devoir déménager, soupire Adèle.

– Pourquoi vous venez pas ici, il y a plein de chambres ? l'invite Capucine. Comme ça on sera tout près.

Je me fais toute petite pour ne pas priver Adèle de sa spontanéité.

– C'est pas possible. Après le bébé, on ira habiter chez Jean-Eudes. J'aime pas sa maison. C'est glauque. En plus, il faudra que je change d'école parce que avec la cantine, Saint-Jean est trop cher. Pourtant, la cantine de Saint-Jean, elle est glauque aussi.

– Mais c'est pas juste ! Si tu changes d'école, on se verra plus !

Silence révolté contre la cruauté de la vie. Réflexion. Solution.

– On demandera des sous à Babou.

– Babou n'en a pas non plus, soupire à nouveau Adèle. C'est le Pacha qui a tout.

Pas tout à fait tout : mon aile en or frémit dans sa cachette. Mon palace à Genève se fissure.

Le stage de tennis a commencé lundi : deux heures chaque jour de trois à cinq. Je dépose les futures championnes à leur club. Celui-ci n'étant pas loin de L'Étoile, elles s'y rendent après. Thibaut ou Audrey me les ramènent.

Audrey est maintenant enceinte de douze semaines : le bébé vivra. Il devrait arriver aux environs de Noël. C'est gai ! Moins de nausées mais grande fatigue. Quand je lui ai proposé de s'installer à la maison, elle a refusé. Gauthier en Irlande, Tim chez les scouts marins, Adèle ici, que fait-elle de ses journées ?

– Tu n'as pas une petite idée ? Allez, maman. Elle les remplit avec son cher et tendre, assure Charlotte.

Sur une plage malmenée par le vent, où claquaient des coups de feu, un instant j'avais espéré...

– Il est comment ?

– Tu veux qu'elle te le présente ?

– Le plus tard possible, merci.

Vrai et pas vrai : aucune envie de rencontrer celui par qui le malheur est arrivé. Envie maso de voir la tête du démolisseur.

Mais c'est pour me parler d'un tout autre sujet que Charlotte m'appelle cet après-midi-là.

– Maman ? Tu peux monter un moment, s'il te plaît ?

J'avais l'intention de peindre, tant pis !

Dans le hall d'entrée où une armée de matriochkas règne sur la verdure, Boris m'attrape au vol, me soulève dans les airs. J'aime.

– Cœur toujours en surcharge, Babou ?

– Oh, là, là, plus que jamais !

– On vous emmène avec nous en Corse ?

Du 1er au 20 août, les Karatine s'envolent pour l'île de Beauté : leurs seules vacances de l'année.

– Je ne suis pas libre : j'ai un monsieur dans ma vie.

– Alors, emmenez le monsieur.

– La mer d'Irlande, plus la Méditerranée, ça risque de saturer, même pour un commandant !

Il rit et me laisse à Audrey, qui m'entraîne dans la chambre de Capucine. Elle ouvre la penderie de la petite, en sort une botte, et, de la botte une liasse de billets.

– Regarde ce que j'ai trouvé.

Tiens ! Je n'avais pas pensé à une botte pour mon lingot.

– Cent euros, continue Charlotte. Et ne crois pas que c'est son argent de poche, elle le dépense dans la minute. C'est toi qui les lui as donnés ?

– Certainement pas. Je t'en aurais parlé.

– Et papa ?

– Encore moins, tu le connais.

Un sou est un sou, la jeunesse est trop gâtée, de mon temps, etc.

Charlotte remet l'argent dans la botte et celle-ci dans la penderie.

– Est-ce que tu gardes de l'argent liquide chez toi ?

– Un peu.

Dans un vieux livre de recettes, page 330, « Choux rouges à la flamande ». Il n'y a que moi qui aime. Chut !

– Pourras-tu vérifier ?

Je m'indigne.

– Capucine n'est pas une voleuse.

– À son âge, je te volais bien, moi, m'apprend tranquillement Charlotte. Thibaut aussi. On se partageait le butin.

Je tombe sur le lit d'amie.

– Thibaut et toi ? Vous me voliez ?

– Pas sainte Audrey, rassure-toi, me console Mururoa. Fais pas cette tête, maman. Ça arrive à tous les enfants. L'essentiel est que ça leur passe avant la majorité.

– Et peut-on savoir ce que vous faisiez du butin ?

– On se payait une toile quand on séchait.

– Parce que en plus vous séchiez ?

– Mais bien sûr, maman. Et tu ne crois pas qu'il est un peu tard pour me gronder ? Parlons plutôt de Capucine.

– Capucine pique dans ta caisse, dis-je méchamment pour me venger de mon aveuglement d'autrefois.

– N'oublie pas que c'est moi qui la tiens. J'ai vérifié : le compte y est. Et je ne lui ai pas encore donné la combinaison du coffre.

Je me lève avec effort. Soudain, je sens mon âge. J'ai hâte d'aller vérifier dans mon livre de recettes. Après avoir été volée par ma fille, ne manquerait plus que je le sois par ma petite-fille. Quelle famille !

Charlotte me raccompagne au seuil de mon jardin.

– Ça ne t'ennuierait pas de tâter le terrain ? demande-t-elle. Moi je ne peux plus ouvrir la bouche sans me faire insulter.

– Laisse-moi le temps de réfléchir.

Je cours droit aux choux rouges à la flamande. Nul n'y a mis le nez, ouf ! Mais alors d'où vient le butin ? Parce que, pour la destination, il me semble avoir deviné.

Mes pommes d'amour me l'ont dit ce matin.

25

Et c'est quelques heures plus tard, dans la soirée, que la seule de mes enfants à ne pas m'avoir volée, Audrey, ramenant Venus et Serena Williams de leur entraînement, débarque avec son prince charmant.

« Tu veux qu'elle te le présente ? » m'a demandé Charlotte.

Cela ressemble fort à un coup monté.

Les championnes filent directement dans leur chambre avec des rires étouffés, comme si elles avaient quelque chose à cacher : le butin du jour ? Poussé par Audrey, l'assureur-conseil multirisque de l'isba.

Rien ! Ni grand ni petit. Ni beau ni laid. L'air ni futé ni débile. Un contrat sans faille, bien lisse, bien net, impôts et taxes en vigueur inclus. Sur le tout, des lunettes double foyer.

Comme c'est curieux, la vie ! Chacun a sa chance, même les transparents. Qu'est-ce qu'Audrey a bien pu trouver à cet homme-là ? Sans doute, justement, que nulle n'aurait l'idée saugrenue de le lui enlever. Contrairement à Jean-Philippe ?

– Maman, je te présente Jean-Eudes. Jean-Eudes, voilà Babou.

– Babou, de babouchka ?

Très fin ! Et voix également neutre : ni fille ni garçon. Le « Ravie de faire votre connaissance » ne passant pas, je me contente de proposer.

– Voulez-vous boire quelque chose ?

– Je m'occupe de tout, se précipite Audrey, qui, d'habitude, préfère laisser les autres s'en charger. Installez-vous tous les deux.

Et elle disparaît.

Tous les deux ? Il y a bien coup monté. Le tête-à-tête a été prémédité.

J'entraîne l'assureur sur la terrasse. En compagnie du jardin, nous serons moins seuls.

– C'est là-haut, à quelques pas de chez vous, que j'ai eu le bonheur de découvrir Audrey, me confie-t-il avec émotion en désignant l'isba.

Comme pour saluer ce bonheur, un flot de musique éclate dans la chambre des filles dont la fenêtre ouverte donne sur la terrasse. Et moi qui avais résolu de commencer dès ce soir l'enquête sur le contenu de la botte. C'est râpé.

Je désigne un fauteuil à l'empêcheur de danser en rond. Il s'y installe sans hésiter, me fixe de ses doubles foyers.

– Je tiens à ce que vous sachiez quelque chose, Babou. Audrey avait décidé de quitter Jean-Philippe bien avant que nous nous rencontrions. En apprenant qu'il avait eu une liaison avec Anastasia.

Babou... Jean-Philippe... Anastasia... Ma parole, il parle comme si nous avions fait la guerre ensemble. Je frémis à l'idée que si Grégoire était présent il l'appellerait « Pacha ».

– Vous avez une fille magnifique, soupire-t-il.

La fille magnifique réapparaît avec verres, muscadet, sirop de cassis et zakouski salés. Jean-Eudes saute sur ses pieds pour débarrasser la future mère du lourd plateau. Bon point ! Après l'avoir posé sur la table, il retombe dans son fauteuil. Mauvais point ! Je suis bonne pour le service. Dire que pas plus tard qu'hier, à cette même heure, je versais le thé à Lise, qui s'étonnait que je ne connaisse pas l'amant de ma fille. Eh bien, voilà, c'est fait !

Dans la chambre des Pimprenelles, Lara Fabian, leur chanteuse préférée, interprète *Tout est fini entre nous*. Si seulement ! Je prépare deux kirs, les offre à mes invités puis reprends place dans mon fauteuil.

– Tu ne bois pas, maman ? s'inquiète Audrey, car, d'ordinaire, j'ai une bonne descente.

– Merci non.

Pour moi, « kir » veut dire fête, pas enterrement.

Silence. À La Grande Marée, avec mes Grâces, mon occlusion de la parole venait de trop de réponses à donner. Ici, c'est trop de questions à poser. En hôtesse bien élevée, je lance la phrase banale qui peut mener à tout.

– Et vos projets, vous en êtes où ?

– Pour l'instant, nous envisageons de passer quelques jours en Corse avec les Karatine, répond Audrey.

D'un seul coup, tous les clignotants entrent en danse dans ma tête.

– « Nous » ? Voudrais-tu dire Jean-Eudes et toi ?

– Imagines-tu quelqu'un d'autre, maman ? Plus les enfants qui le souhaiteront, bien sûr, complète paisiblement Audrey sans rien voir venir.

On ne peut jamais dire quand une explosion va se produire. Depuis le coup de portable-catastrophe de Tim, j'avais réussi à contenir la mienne : calme avec les garçons, compréhensive avec ma fille, de marbre avec Grégoire, modérée avec Fée.

Elle a éclaté comme un coup de grisou, me jetant sur mes pieds. J'ai crié :

– Vous voulez que la prochaine fois Gauthier se flingue pour de vrai, c'est ça ?

Sous la violence du souffle, le couple est resté K.-O. Je me suis tournée vers Audrey.

– Un peu facile, tu ne trouves pas, de tout mettre sur le dos de ton pauvre père. Ça t'a évité de te demander pourquoi Gauthier était allé chercher le Mac 50 sur la corniche.

Audrey s'est tournée vers son assureur et elle a pris sa main, honteuse de l'attitude de sa mère devant un homme pourtant habitué, de par son métier, aux catastrophes naturelles.

– Je t'en prie, maman, ne sois pas hystérique, a-t-elle crié à son tour.

– Je ne suis pas hystérique, j'essaie seulement d'être lucide. Crois-tu vraiment que Gauthier, quand il rentrera d'Irlande où son grand-père essaie de le remettre d'aplomb, viendra partager, la joie au cœur, ton idylle avec ce monsieur sur l'île de Beauté ? L'île de la désolation, ouais. Et Tim ? Tim qui adore son père, tu t'imagines peut-être que ça lui fera plaisir, de retour des scouts marins, de vous écouter chanter des pastorales avec les bergers corses en mangeant du fromage de chèvre ?

Devant mon style, sans doute plus fleuri que celui de ses contrats, le pastoureau de pacotille a baissé la tête. Dans la chambre des filles, Lara Fabian chantait à présent : *J'y crois encore*. Plus moi ! Et il y a des tubes qui nous flanquent les boules.

J'ai montré la fenêtre des poisons.

– Et le tatouage d'Adèle, il t'a plu ? Elle assure qu'il éloigne les mauvais esprits. Se sentirait-elle menacée ? N'as-tu pas pensé – sans être hystérique –

que c'était peut-être un appel au secours avant de se faire piquer pour de vrai ?

Audrey s'est détournée. C'est le moment qu'a choisi la Russie pour déclencher là-haut les accents déchirants de la balalaïka. Il ne me manquait plus que ça. Vous achetez une maison sans histoire, quiète dans ses pommiers, et vous vous retrouvez au cœur d'une fête foraine, train de l'horreur inclus dans le prix.

Profil bas, mains croisées sur les genoux, Jean-Eudes ne réagissait plus. Je lui aurais bien rappelé son saint, mais il ne devait même pas être au courant. Ses parents avaient dû choisir son prénom au hasard, en pointant le doigt, yeux fermés, sur le calendrier des Postes ; beau résultat, bravo !

Je lui ai simplement envoyé dans les gencives que s'il voulait que je l'aime un jour il avait intérêt à travailler pour. Autrement qu'en démolissant un à un mes petits-enfants.

Audrey s'est levée. Elle tenait son ventre à deux mains comme si le bébé allait en tomber.

– Tu viens ?

Jean-Eudes s'est levé aussi. Avant de la suivre vers l'issue de secours, il s'est approché de moi et j'ai eu peur qu'il ne cherche à m'embrasser, mais non ! Un éclair inattendu a brillé dans ses yeux et il a prononcé le mot magique : « Merci. » Merci, Babou.

Mon cœur a repris vie, ma poitrine s'est libérée. « Merci de m'avoir ouvert les yeux ? De m'avoir mis en face de mes responsabilités ? J'étais aveuglé par l'amour, je ne suis pas aussi nul, transparent et insignifiant que vous le pensez. Que le bébé soit ou non de moi, j'assumerai. Je prendrai votre fille magnifique en charge, arrêtez de vous faire tout ce souci pour son avenir, vous pouvez compter sur moi ? »...

– Babou, Babou, c'est le Pacha, il veut te parler.

Emportée par mes rêves, je n'avais pas entendu le téléphone sonner.

Grégoire m'annonçait que le *Yes, Sir* accosterait après-demain dimanche à Ouistreham.

26

N'écoutez jamais celui qui prétend vous aimer telle que vous êtes. Soit il ne vous regarde plus et, que vous soyez belle ou non, il s'en fout. Soit il n'a pas envie que d'autres vous regardent avec gourmandise ; déjà plus flatteur. Mais le plus souvent, hélas, votre compagnon privilégie les rondeurs de son porte-monnaie plutôt que celles de vos appas. Car s'il faut souffrir pour être belle, il faut aussi payer.

J'ai tout simplement souhaité que l'œil de mon marin s'éclaire comme autrefois en découvrant sa femme sur le port. Et, dans ce but, j'ai pris rendez-vous à l'institut Mimosa à Caen : coiffure et soins du visage.

Mimosa est un charmant jeune homme aux doigts doux et dansants comme ailes de libellule. J'en suis au moment le plus délicieux – le massage entre les sourcils, siège des nerfs trop souvent négligés –, lorsque mon portable sonne.

Zut ! J'avais oublié de le mettre hors d'état de nuire.

Avec une moue de désapprobation, l'artiste me tend le coupable, pioché dans mon cabas : Marie-Rose.

– Peux-tu passer à La Caverne, chérie ? J'ai quelque chose à te montrer.

– Qu'est-ce que c'est ?
– Une sorte de surprise.
– Bonne ou mauvaise ?
– Ce sera à toi d'en juger.

Ma curiosité éveillée, je me livre à un bref calcul : suite et fin du massage, masque, brushing.

– Quatre heures, ça te va ?
– Impeccable, nous t'attendons.

Je raccroche et confie cette fois ma messagerie à Beethoven (*Lettre à Élise*) avant d'abandonner à nouveau mon visage aux doigts experts de Mimosa.

Marie-Rose a-t-elle bien dit « nous » ? « Nous t'attendons » ? Cela signifie que Diane est avec elle. Si j'avais su, j'aurais mis ma broche papillon.

Depuis notre déjeuner-fête à La Grande Marée, je n'ai pas rappelé mes amies et le remords me hante. C'est que, même par omission, je déteste leur mentir et ne me sens pas encore prête à leur apprendre que ma famille est en totale décomposition. J'ai ma fierté.

Sous le masque aux omégas antistockage, les yeux baignés d'eau de violette, je m'interroge. Qu'a voulu dire Marie-Rose avec sa « sorte de surprise » ? Veut-elle me montrer une nouvelle acquisition ? Elle s'est toujours fiée à mon goût très sûr.

Quoi qu'il en soit, et bien que le « sorte » me soucie un peu, toute surprise sera la bienvenue pour me changer les idées après le coup de grisou d'hier : les mains d'Audrey protégeant son bébé de mes foudres m'ont tenue éveillée une partie de la nuit.

Sur ces considérations, je laisse Morphée m'emporter dans ses bras.

La Caverne est le nom de la boutique où officie ma brocanteuse. Il m'est arrivé de m'y réfugier pour peindre lorsque Thibaut, n'ayant pas encore été séduit par la traîtresse Anastasia, habitait à « La Maison » avec Justino.

Il est quatre heures pile quand j'en franchis le seuil. Marie-Rose fonce sur moi tel l'éclair.

– On y va !

Elle n'a même pas remarqué mon physique éblouissant. Diane, qui la suit, rattrape le coup.

– Tu as fait le grand ravalement ?

Sans me laisser le temps de respirer, Marie-Rose ferme boutique et m'entraîne vers la voiture de sport décapotable – et décapotée – de Diane.

– Si tu n'y vois pas d'inconvénient, on y sera mieux que dans ta casserole.

Merci pour la casserole et adieu brushing savant. Diane démarre comme une fusée.

Je risque :

– Peut-on savoir où nous allons ?

– Juste faire une petite vérification, répond Marie-Rose avec un sourire tordu.

Une surprise étant une surprise, je laisse tomber. Notant toutefois que nous roulons vers la vieille ville, le château.

– Dis-nous... tes fleurettes... tu sais, celles que tu peignais sur des coffres, c'est fini ? Tu n'as pas l'intention de t'y remettre ? demande Diane d'une voix fausse à souhait.

– Sans doute as-tu oublié que j'ai renoncé aux ouvrages de dame pour me mettre à la vraie peinture.

– N'empêche que tes ouvrages de dame, tu les vendais sacrément bien, observe Marie-Rose, terre à terre, et qui, osons le dire, propose parfois n'importe quoi dans sa brocante pour se faire du blé.

Il me faut pourtant reconnaître que mes toiles sont loin d'avoir le succès de mes « fleurettes », comme les a appelées fort désobligeamment Diane. Je n'en ai vendu qu'une seule jusque-là : *La Dame blanche*. Mais Gauguin avait-il fait mieux de son vivant ?

– Quoi qu'il en soit, si tu as besoin d'argent nous sommes là, me rappelle Marie-Rose avec un ton de gravité tout nouveau chez elle.

Qu'est-ce qui leur prend ? Pourquoi cette surprenante sollicitude ?

Voici les flèches de l'église Saint-Pierre, voilà le château et ses deux abbayes. Quelle grandeur ! Quel élan vers le ciel ! On ne s'en lasse pas. De nombreux touristes sont en pâmoison devant. Et, soudain, j'y suis !

La Guyane, bien sûr ! Ce voyage trop cher pour ma bourse. Mes amies ont senti ma tristesse durant notre déjeuner-coquillages et l'ont attribuée au regret de n'avoir pu partager leur équipée. Double remords à l'idée de leur en avoir caché la véritable cause.

En attendant, nous voici arrêtées dans une ruelle interdite au stationnement. On voit que le mari de Diane a des relations bien placées. Il suffit de se souvenir qu'elles ont été hébergées par l'une desdites relations à Cayenne, tout près du fameux bagne, pour savoir lesquelles.

Elles m'entraînent vers Le Temps joli, une boutique antiquités-cadeaux. Voudraient-elles m'offrir encore quelque chose ? Triple remords. Cette fois, c'est trop, je refuse. Nous nous arrêtons devant la vitrine. Marie-Rose pointe le doigt.

– Regarde, c'est ça.

Les trois croquis ont été encadrés avec goût : une simple baguette de bois fruitier. Ils représentent des fleurs sans prétention, mes préférées : myosotis, boutons-d'or, pâquerettes, pois de senteur, coquelicots, violettes, et même giroflées-giroflas.

Ces croquis ont été exécutés au pastel sec. Certes, les couleurs ne flambent pas, elles seraient même plutôt rafraîchissantes, mais l'ensemble est ravissant. D'un cadre à l'autre, mes fleurettes semblent dialoguer les unes avec les autres.

Pardi, elles viennent d'un même carnet !

Il date d'une dizaine d'années, la période que nous évoquions à l'instant : décoration de coffres en bois. J'aimais partir dans la campagne pour y puiser l'inspiration. Je découvrais des merveilles en m'introduisant par effraction dans des jardins privés – les publics sont trop ordonnés à mon goût. Combien de carnets ai-je remplis de croquis comme celui-là ?

Et que font ces trois-là dans la vitrine du Temps joli ?

Toute tremblante, j'y colle le nez. On dirait bien qu'ils sont signés. Certainement pas par moi ! Croquis ou ébauches ne se signent pas. Auriez-vous l'idée de porter votre Légion d'honneur sur votre chemise de nuit ou votre pyjama ?

Mon visage doit exprimer mon désarroi. Diane soupire.

– Alors ils sont bien de toi ! Je les ai repérés hier, en chinant dans le quartier. Moi non plus, je n'en revenais pas.

– Nous avons pensé que tu avais peut-être des soucis d'argent et que tu raclais les fonds de tiroir, complète Marie-Rose.

Pas les fonds de tiroir... les fonds de grenier. C'est là qu'à ma connaissance se trouvent mes carnets depuis que j'ai attaqué ma période Rembrandt.

– As-tu une idée de la façon dont ils ont pu atterrir ici ? s'enquiert Diane avec douceur.

Trop atteinte pour lui répondre de vive voix, je me contente de secouer négativement la tête. J'ai envie de rentrer chez moi, de me coucher et de dormir. À mon avis, je rêve. Vite que je me réveille !

– Eh bien, on ne va pas tarder à le savoir. On y *go* ! décide Marie-Rose.

Et, sans me demander mon avis, elle me pousse dans la boutique.

Si ce n'est pas un rêve, c'est finalement une mauvaise surprise.

27

Les quelques meubles sont légers, gracieux : une coiffeuse, guéridons et consoles, deux ou trois paravents. Tiens, si je me mettais à peindre des paravents ? Une psyché.

Partout, des objets cadeaux, une vitrine de bijoux anciens, une de médailles militaires, que de souffrance là-derrière ! Aux murs, des tableaux ; à première vue, quelconques.

Un jeune homme qui n'est pas sans me rappeler Mimosa, l'air doux, queue-de-cheval et boucle d'oreille, danse vers nous.

– Puis-je vous aider, mesdames ?

Dans son regard attentif, on peut lire que sur ses conseils, si nous avions le bon goût de les suivre, nous serions plus belles encore. Ici on rêve dentelles et bonnes manières.

Avec son plus éclatant sourire, Marie-Rose désigne mes croquis.

– Combien les vendez-vous ?

– Tout dépend si vous prenez un seul dessin ou le lot, répond l'antiquaire. Permettez-moi de vous les présenter.

Il attrape le lot et l'aligne sur un guéridon qui semble avoir été conçu pour mettre mon œuvre en valeur, caresse mes fleurs du regard. Ça me fait un drôle d'effet.

– Vous remarquerez la fraîcheur des couleurs, s'enthousiasme-t-il. Regardez ces myosotis, n'en sentez-vous pas l'odeur ? Et cette pervenche, ces pois de senteur... Certes, le dessin est un peu maladroit et l'artiste a encore beaucoup à apprendre, mais lorsque vous saurez qu'elle n'a que quatorze ans !

Dessins maladroits... beaucoup à apprendre... et maintenant quatorze ans, c'est trop ! Je prends appui sur une chaise Renaissance (période de bouleversements) et me penche vers le gribouillis-signature, en bas et à droite de chacune de mes œuvres. Ne dirait-on pas un C ? C comme...

Une petite botte me traverse l'esprit.

Remarquant mon intérêt, l'antiquaire – mais mérite-t-il encore cette appellation après son jugement sur mes créations – se tourne vers moi.

– Elle ne voulait pas signer. Il m'a fallu insister, m'apprend-il.

« Dis-moi, ta Capucine, elle n'aurait pas plutôt douze ans ? » me glisse Diane à l'oreille après s'être inclinée, elle aussi, sur la signature.

– Et où avez-vous rencontré cette jeune personne si douée ? s'enquiert à présent Marie-Rose.

– Tout banalement à la terrasse d'un café où elle faisait la manche en tentant de vendre ses croquis aux touristes.

Je m'agrippe plus fortement à ma chaise. C'est à présent à l'oreille de Marie-Rose que Diane chuchote.

– J'ai tout de suite flairé un authentique talent, reconnaît quand même le brocanteur, aveugle à mon émotion. J'ai eu la chance d'être le premier client de la demoiselle. Je lui ai pris tout ce qu'elle avait.

– Et elle en avait beaucoup des comme ça ? demandé-je faiblement.

– Une dizaine. Mais elle m'en a laissé espérer d'autres. Nous avons conclu un marché.

La botte refait surface dans mon esprit.

– Un marché ? Avec une gamine de dou... pardon, de quatorze ans ? demande Marie-Rose d'un ton nettement plus froid.

– Pourquoi pas ? Elle avait visiblement besoin d'argent. J'ai voulu l'aider. En échange d'une petite provision, elle a promis de m'accorder la priorité pour la suite. Après, nous verrons selon les ventes. Bien entendu, l'encadrement est à ma charge.

La botte s'emplit de la provision : cent euros. Encadrement ou non, il n'y a pas de petits profits. Je demande plus fermement :

– Et vous avez eu des ventes ?

– Deux touristes américaines. Emballées ! Elles pensent se servir de ces croquis pour décorer leur salle de bains.

Pourquoi pas les toilettes ? Diane et Marie-Rose me regardent avec compassion. J'ai horreur d'être plainte. Un jeune couple entre dans la boutique, fait trois petits tours et puis s'en va : il ne perd rien.

– J'aimerais présenter cette jeune fille à un ami qui enseigne aux Beaux-Arts, poursuit le commerçant. Elle l'intéresserait certainement. Mais rien à faire pour obtenir son nom, ni même son adresse. Alors, un rendez-vous...

– Tout cela ne vous paraît-il pas un peu louche ? interroge Marie-Rose, de plus en plus froide.

– J'ai eu quelques renseignements par l'autre jeune fille, une amie qui l'accompagne toujours, se défend le filou. La petite aurait perdu toute sa famille dans un accident d'avion. Une bien triste histoire ! Elle serait orpheline et sans ressources.

Je tombe tout à fait sur la chaise Renaissance. Orpheline, ma Capucine ? Avec une mère qui l'adore, deux pères attentifs, quatre frères et sœurs, oncles, tantes, cousins, cousines... Plus deux grands-parents aux bras toujours ouverts ? Que ne faut-il pas entendre !

Diane me pétrit affectueusement les épaules. Le rusé remet les croquis en place dans la vitrine.

– C'est ma façon d'aider le talent, conclut-il. Et je ne désespère pas d'en savoir un jour davantage sur cette touchante jeune fille.

« Qu'est-ce que tu attends pour parler ? » me demande l'œil pressant de Marie-Rose.

« Vas-y, dis tout ! » m'encourage Diane d'un signe de la main.

Évidemment, elles, ça ne les gênerait pas de me voir révéler au commerçant indélicat l'identité de la touchante jeune fille, certes douée, mais qui a encore des progrès à faire. On voit qu'elles ne sont ni artistes, ni grands-mères.

– Il me semble que vous doutez..., observe tristement notre interlocuteur.

Il consulte sa montre.

– Cinq heures vingt. Si vous attendez un moment, vous aurez une petite chance de faire sa connaissance. C'est l'heure où elle passe avec son amie pour savoir s'il y a eu des ventes. Je vous demanderai seulement d'être discrètes.

Le cours de tennis des filles s'achève à cinq heures... Le temps de venir... Au secours !

Je me lève.

– Merci, monsieur, nous vous donnerons de nos nouvelles.

J'adresse un signe autoritaire à mes amies, cours vers la sortie, galope dans la rue, enjambe la portière de la décapotée, me tapis au creux du siège en cuir.

Au moment où Marie-Rose et Diane me rejoignent, deux charmantes fillettes apparaissent à l'autre bout de la rue. J'ordonne :

– À La Caverne !

Diane s'exécute.

28

Non, Capucine n'était pas une voleuse. Elle s'était contentée de m'emprunter quelques croquis parmi ceux que j'avais jetés au grenier et dont je n'avais plus rien à faire. Emprunt désintéressé puisque ce n'était même pas pour elle qu'elle essayait de les écouler aux terrasses des cafés, mais pour payer son collège à Adèle...

– Une minute ! Là, on ne suit plus. Pourquoi Capucine paierait-elle son collège à Adèle ?

Pour l'excellente raison que la mère de celle-ci, Audrey, quarante ans l'an prochain au cas où mes amies l'auraient oublié, risquait de se retrouver sans le sou après son divorce.

– Que dis-tu ? Audrey divorce ?

Et comment donc ! Diane et Marie-Rose, qui se targuaient d'être modernes, auraient peut-être voulu qu'elle reste avec un mari qui s'envoyait en l'air avec n'importe qui, y compris des mineures, mais passons... Audrey avait supporté le pire durant des années sans ciller, mais trop, c'est trop, et quand l'assureur-conseil de Charlotte avait pointé le nez à l'isba...

– Attends... l'assureur-conseil de Charlotte... C'est qui, celui-là ?

Joliment prénommé Jean-Eudes, un garçon solide comme son saint patron de la célèbre congrégation des Eudistes à Caen. Mais, à la vérité, c'était le bébé qui avait tout déclenché.

– Le bé... le bé... le bébé ?

Celui qu'attendait Audrey, pardi ! Dont on connaîtrait le père après analyse d'ADN à la naissance, prévue fin décembre, d'où la charmante appellation par les enfants de « bébé-Noël ».

Les laissant à leurs réflexions, j'ai repris une lampée du remontant offert par La Caverne : je ne sais quoi avec du rhum qui se buvait comme du petit-lait.

Marie-Rose avait le sang au visage. Un masque antiluisance de Mimosa lui aurait fait le plus grand bien. Diane se tenait la tête à deux mains. Enfoncées, les couleurs flamboyantes de la Guyane, ses forêts émeraude et ses caïmans noirs. De la roupie de sansonnet à côté des couleurs de ma famille !

Tiens ! Sansonnet... Samson... saint Samson à Ouistreham. Il m'a aimablement fourni ma conclusion.

– Et voilà pourquoi, ne vous déplaise, j'ai fait le grand ravalement aujourd'hui. Afin d'accueillir en beauté mon Pacha qui revient demain d'Irlande où il a emmené Gauthier après qu'il a saboté son bac de français, fumé du hasch, tiraillé au Mac 50 sur la plage et failli envoyer la famille derrière les barreaux.

Comme un blanc est tombé.

– C'est tout ? a demandé Marie-Rose d'une voix de même couleur.

Il restait bien quelques broutilles, genre liaison Jean-Philippe et Anastasia, tatouage tribal et lingot d'or. J'ai préféré remettre ça à plus tard.

– C'est tout !

– Et ce riant tableau date de quand, madame la marquise de Tout-Va-Très-Bien ?

– De votre départ pour la Guyane : un mercredi après-midi où je peignais mon aile sans rien demander à personne.

La brocanteuse s'est tournée vers Diane. Elle a poussé un gros soupir.

– Décidément, on ne peut pas la laisser seule une minute.

29

Audrey, Jean-Philippe et moi, ainsi qu'une foule d'anonymes intéressés par les bateaux, sommes allés accueillir nos navigateurs à Ouistreham-Riva-Bella.

Le *Yes, Sir* s'est avancé comme un seigneur vers le quai. Gauthier était à la barre. Aidé d'un autre marin, mon Pacha affalait la grand-voile. Mon cœur a battu et je me suis dit qu'aimer était une sacrée bonne raison de vivre, même si cela vous déchirait le cœur plus souvent qu'à son tour.

J'avais opté pour l'audace avec un tailleur orange canicule. Comme espéré, le regard de Grégoire s'est éclairé en me voyant. Pour tout me dire à la fois, y compris : « Tais-toi », il m'a serrée longuement en silence sur sa poitrine. Il avait bronzé, perdu quelques kilos, je l'ai trouvé magnifique.

Gauthier a d'abord embrassé ses parents, puis il est venu vers moi.

– Sacrée leçon, quand même, a-t-il déclaré avec un clin d'œil complice.

Parlait-il de celle qu'il avait donnée à ses parents, comme Grégoire le jour J ? Ou des leçons diverses et variées que son grand-père n'avait pas dû manquer de lui donner au cours de leur croisière ? Je me suis promis d'éclaircir le mystère.

C'était dimanche et j'avais prévu pour ceux que cela tenterait un pique-nique à la maison : charcuterie, salades variées et fromages. Cela a tenté tout le monde, y compris les Karatine qui ont apporté les desserts, mes favoris, car rien qu'à les humer, même s'il fait beau et chaud, je me retrouve dans le Transsibérien.

Il faisait beau et chaud. On a parlé navigation, bière irlandaise, cornemuse écossaise. On a tous fait comme si c'était un pique-nique ordinaire, durant un été sans histoire. On a tous joué aux marquis et aux marquises de Tout-Va-Très-Bien. Il me semblait être à une table de poker menteur.

Nous prenions le café quand un taxi a déposé ma mère et Hugo dans la cour.

« Vite, réponds-moi. » Je me demandais pourquoi elle tardait tant. C'est qu'elle avait choisi de me répondre de vive voix.

Parce qu'il est insensible à son arme préférée : la cuisine du soleil, Grégoire fait très peur à maman. Elle le croyait toujours en mer et lorsqu'elle l'a eu en face d'elle, durant quelques secondes, j'ai craint qu'elle ne fasse demi-tour.

Elle s'est contentée de pousser un gros soupir en levant ses yeux malicieux vers lui.

– Voyez-vous, mon cher gendre, cela m'aurait chagrinée de mourir sans avoir essayé le TGV Méditerranée.

– Tant que vous n'apporterez pas l'ailloli dans vos bagages, ma chère belle-mère, vous serez toujours la bienvenue en Manche, a répondu le Pacha sur le même ton.

A suivi un après-midi-confesse.

Installée sous le parasol de Lulu, maman a écouté un à un – son appareil acoustique privilégiant le dialogue – tous les fidèles présents, enfants comme adultes. Elle a dispensé rires et absolutions. Seul Jean-Philippe, redoutant la pénitence, avait filé avant convocation.

Pour ma part, j'ai fait savoir que j'allais méditer du côté de la chêneraie et celui que j'attendais n'a pas tardé à m'y rejoindre.

Il est venu en tirant des bords, casquette de marin sur la tête et fredon aux lèvres. J'ai calculé mon coup pour me trouver devant son arbrisseau quand il a accosté.

– Toujours vivant, lui aussi ? a-t-il demandé en tourmentant la tige fragile de sa basket.

– Toujours ! Et il a intérêt à le rester, suis-je parvenue à répondre.

Il a plongé la main dans l'une de ses poches-cabas et en a sorti un paquet informe qu'il m'a tendu.

– Souvenir !

J'ai déballé en prenant mon temps.

Après le papillon guyanais, j'avais droit au monstre du loch Ness. Décidément, j'étais abonnée aux animaux. Il grognait en roulant des yeux de feu quand on appuyait sur le bouton logé sous sa queue en écaille : le record de laideur pour un cadeau.

– Je te changerai les piles quand elles seront usées, m'a proposé généreusement mon petit-fils.

Après l'avoir remercié, je lui ai posé la question qui m'avait souvent empêchée de dormir et que sa petite phrase du matin : « sacrée leçon », avait ravivée.

– Quand je suis venue te chercher à ton lycée et que nous avons parlé de ton grand-père et du Débarquement à Ouistreham, avais-tu déjà ta foutue idée dans la tête ?

En clair : ne serait-ce pas moi qui l'y aurais fourrée ?

Je ne préférerais.

Bien entendu, il a ri.

– Ma tête, le Pacha dit qu'elle ne sonne pas trop creux pour du bois ! Et j'ai eu une idée encore meilleure : si les bouffons divorcent, je demanderai que vous ayez ma garde. Il est d'accord.

Traiter quelqu'un de « bouffon » est le top du mépris pour les ados. Un jour, il faudrait que j'explique aux miens que les bouffons, ceux qui osaient dire leurs quatre vérités aux rois, étaient personnages fort utiles et que ce qualificatif gagnerait à être redoré.

Mais, pour l'instant, à l'idée d'avoir peut-être la garde du futur chêne, j'avais peine à trouver mes mots, aussi ai-je laissé le loch Ness répondre à ma place en appuyant sur le bouton.

– Comme ça, j'irai au lycée en mob avec Tim et Victor, et on fera la course, a-t-il ajouté, histoire de me réconforter.

Le monstre n'est pas toujours celui qu'on pense, mais Gauthier venait de m'apprendre une excellente nouvelle : il avait décidé de continuer ses études.

Autre bonne nouvelle : après une halte sous le parasol de sa grand-mère, Audrey avait modifié ses projets de vacances. Plus de voyage en Corse : un séjour au Cigalou avec les enfants, et sans assureur multirisque.

Tandis que s'échangeaient rires et chuchotements, épaule contre épaule, Grégoire et Hugo remettaient de l'ordre dans le potager en folie. Là, point de confession, bien qu'ils soient souvent à genoux.

Pour la mienne, il m'a fallu attendre le soir.

Maman se reposait dans sa chambre, paupières closes et mains croisées sur la poitrine comme une morte, j'ai horreur de ça. Elle a ouvert l'œil quand je suis entrée. Il brillait.

– Où l'as-tu caché ? a-t-elle demandé sitôt que j'ai eu pris place au bord du lit.

Ma réponse l'a fait sourire : « Pas mal trouvé ! En somme, il te rappelle constamment sa présence à la barbe de tous. »

C'était exactement ça.

Elle a savouré quelques secondes puis le ton s'est fait sévère.

– J'ai bien reçu ta lettre, ma fille. Sache que tout le monde n'est pas Marcel Proust.

Mon style était-il donc si déplorable ?

Elle m'a vite rassurée. Il ne s'agissait pas de style mais de descendance et, comme chacun sait, les penchants du grand écrivain l'en avaient privé.

– Mais prends Jean-Sébastien Bach, par exemple, a-t-elle poursuivi. Lui avait tellement de petits-enfants qu'il en oubliait le nombre. Et ce ne sont pas eux qui l'ont empêché de composer sa musique de paradis. Alors, s'il te plaît, cesse de te poser des questions idiotes.

En résumé : on peut être à la fois artiste et grand-mère.

Puis elle a désigné le plafond ; ou plutôt le ciel.

– Le grand jour, rappelle-toi que je veux Bach à ma messe.

La messe du grand jour serait celle de son enterrement.

C'est l'heure du coucher. Grégoire m'observe tandis que je m'apprête à le rejoindre dans le lit aux montants de chêne, taillé sur mesure pour que nous puissions – jusqu'au grand jour, j'espère – continuer à y dormir ensemble sans trop nous gêner.

Bien que nous nous fréquentions depuis plus d'un demi-siècle, il y a entre nous à cet instant comme une timidité, cette hésitation de l'âme, ce léger haussement d'épaules du temps qui font les bons ménages en vous rappelant que votre compagnon de route, aussi proche soit-il, gardera toujours son mystère.

Alors, je viens vite, je mets la tête sur son épaule et je convie Capucine. Elle, j'ai le droit.

Je raconte au grand-père qui n'a jamais, comme Jean-Sébastien Bach, oublié le nombre de ses petits-enfants, la conversation surprise dans le jardin, la crainte d'Adèle de n'être plus dans le même collège que sa cousine préférée et la découverte de mon œuvre chez le jeune ignorant à boucle d'oreille et queue-de-cheval.

Je passe sous silence les emprunts faits autrefois par Charlotte et Thibaut à mon porte-monnaie. Pas toutes les bonnes nouvelles à la fois.

Naguère, je veux dire avant le jour J familial sur une plage du Débarquement, Grégoire aurait ouvert le bal en déclarant, non sans raison, que tout le monde était fou dans cette famille, à commencer par ma tendre mère qui, présentement, dort du sommeil du juste dans la chambre voisine entre Marcel et Jean-Sébastien.

Mais un tremblement de conscience a fait vaciller les belles certitudes de mon roc, et quand je lui confie que je suis dans l'embarras : comment régler cette affaire délicate sans que mes petites-filles me prennent pour une espionne ? Comment éviter que Capucine n'écoule au Temps joli, tout mon stock de croquis ? il se contente de répondre :

– Fais-moi plaisir, ma Jo. Laisse-moi au moins m'occuper de ça.

Puis tu éteins la lumière, tu me prends dans tes bras et c'est toi, mon Pacha, qui me fais plaisir.

30

– D'abord, à peine étais-tu partie conduire Fée et Hugo à la gare que papa me lançait un ultimatum : « Descends tout de suite à la maison, j'ai à te parler », raconte Charlotte.

– N'est-ce pas exactement ce que tu viens de faire avec moi ce matin ? Sauf que ton ultimatum à toi était : « Monte illico chez Babouchka, y a du nouveau »...

Mururoa rit de bon cœur. Il est neuf heures. Elle a attendu pour m'appeler le départ de son père à Dives, où il est allé voir si les pêcheurs avaient rapporté de la sole afin de fêter notre premier déjeuner en tête à tête depuis son retour d'Irlande. Hugo et maman ont repris le TGV bleu hier.

C'est matinée de repassage à l'isba : une colline de « vraies » serviettes, dignes du deux étoiles, bientôt trois, espèrent les Karatine. Charlotte reste quelques secondes, le fer en suspens.

– Tu ne me poses pas de question ? Tu n'as pas envie de savoir ce que papa avait de si urgent à me dire ?

– Au contraire, je brûle !

– Capucine... tes dessins... l'antiquaire et le collège d'Adèle.

Elle fronce les sourcils.

– Entre parenthèses, merci, maman, merci beaucoup de m'avoir tenue au courant.

– Mais je n'ai tout découvert que samedi dernier, quand Marie-Rose m'a appelée.

– Et nous sommes quel jour, s'il te plaît ?

Nous sommes vendredi. Presque une semaine, je sais !

– Ton père m'avait demandé de le laisser s'occuper de tout. À propos, comment l'as-tu trouvé ? Je me fais du souci pour lui.

– Tu peux ! Je lui ai tout balancé... Que pour Jean-Philippe et Audrey, c'était définitivement râpé... qu'Audrey commençait à faire ses valises pour s'installer chez Jean-Eudes sitôt après la naissance du bébé, qu'elle chauffait son avocat dans la perspective d'ADN mauvaise surprise, et tout et tout. Eh bien, réaction zéro, pas une ride sur la mer, pas même un grattouillis d'oreille. Coma profond. Pierre tombale. Je te jure, maman, il m'a fait peur, qu'est-ce qu'il a ? C'est pas le cœur au moins ?

Le mien dégringole dans mon estomac.

– C'est le cœur, si ! Ton père s'en veut toujours pour Gauthier.

– Attends, tu plaisantes, là ! C'est réglé pour Gauthier. Il a même décidé de reprendre le lycée. Il y a forcément autre chose.

– Si c'est le cas, je ne vois pas quoi.

Une serviette de plus, pliée au carré, sur la pile. Le fer va et vient, comme effaçant les plis du temps. Nous sommes toutes des Pénélopes luttant contre les tempêtes de la vie avec les gestes du quotidien. Repassant, tournant les sauces, nous rongeant le foie pour les enfants. Seule différence avec la Pénélope d'Ulysse, le fer est électrique, la sauce surgelée, et, côté éducation, la sainte Trinité des enfants s'appelle télé, Internet et mobile.

– Bref, le seul mot que j'ai entendu de lui a été : « Combien ? » conclut Audrey.

– Combien ?

– Combien me coûtait le collège de Capucine, y compris la cantine berk. Je le lui ai dit et il a filé vent debout.

– Il a débarqué à la maison vers deux heures de l'après-midi, raconte Audrey. Je faisais une petite sieste. Quand j'ai entendu sa voix dans l'Interphone, j'ai eu la peur de ma vie. J'ai cru qu'il venait m'engueuler comme toi l'autre soir quand je t'ai présenté le « monsieur »... Entre parenthèses, merci, maman, merci pour l'accueil. On s'en souviendra. Est-ce que tu peux attendre une minute ? Mon bain coule. Je vais l'arrêter.

J'attends, calée dans mon coin de canapé, le sans-fil noir à l'oreille, l'œil sur la très chère horloge du salon. Quatre heures. Audrey a toujours pris des bains à n'importe quelle heure, jour ou nuit. Petite, nous l'appelions « la sirène ».

– Me revoilà. Tu es toujours là ? Bon ! Alors, voix de papa dans l'Interphone. Il me demande si je suis seule. C'est oui. Il monte. Je me prépare au pire... Eh bien, je l'ai eu, mais pas celui que j'attendais.

– ...

– Il paraît que Capucine te pique tes dessins pour payer le collège d'Adèle ? C'est vrai, cette dinguerie ?

– Hélas !

– Hélas ? Vous me prenez tous pour un monstre ou quoi ? Figure-toi que je n'ai jamais eu l'intention de retirer Adèle de Saint-Jean. Je lui ai simplement fait remarquer qu'il coûtait les yeux de la tête et qu'elle avait intérêt à se défoncer si elle voulait y rester, c'est tout ! Et je te signale que le « monsieur » que tu détestes et qui s'appelle Jean-Eudes est prêt à le lui payer.

Le flamboyant : « Merci, Babou » me revient à l'esprit. « Merci, Jean-Eudes. »

– En somme, papa venait m'annoncer qu'il se chargerait de la scolarité d'Adèle ainsi que de la cantine. Épatante, la cantine, on les oblige à manger de tout, ils adorent. Comment voulais-tu que je refuse sans le blesser ? D'autant qu'il est malade.

Je frissonne : malade, mon Pacha ? Et de deux ! Si mes filles continuent comme ça, c'est moi qui suis bonne pour le rapatriement sanitaire.

– Évidemment ! Ça crève les yeux. Ni coup de gueule ni oraison funèbre sur les valeurs. Qu'est-ce qu'il a, maman ? Si c'est grave, tu le dis. J'aime mieux savoir.

Je respire profondément.

– Je pense que c'est Gauthier. J'avais demandé à ton père de s'en occuper. Il se reproche de l'avoir fait trop tard.

Silence dans le bel appartement où Audrey commence à faire ses valises pour emménager dans le gourbi glauque de Jean-Eudes.

Puis toute petite voix.

– Moi aussi, je me le reproche, tu sais...

Reprenons-nous.

– Et moi, tu crois peut-être que je ne flippe pas ? Alors, on arrête avec la flagellation et on va de l'avant. Dis-moi plutôt ce qu'a fait ton père en te quittant. Il est rentré à la maison à pas d'heure. J'étais folle d'inquiétude.

– Il est allé à la piscine, lâche Audrey.

Je mourrai en tombant des nues.

– À la piscine, Grégoire ?

– Celle où les filles prennent leurs cours. Il m'a même emprunté un maillot de Jean-Philippe, je te raconte pas le spectacle.

L'entraînement des sœurs Williams est terminé. Audrey les a inscrites à un stage de nage libre. Elles s'attaquent au cent mètres, espérant décrocher l'or un jour, comme Moravcova et sa dauphine, Elena Papchenko. N'avons-nous pas des Russes dans la famille ?

– Et qu'est-ce qu'on voit tout d'un coup ? Le Pacha qui saute dans le bassin en éclaboussant tout le monde, raconte Adèle avec enthousiasme. Dis donc, Babou, il sait nager la brasse papillon... On a trop rigolé.

C'est matinée de lessive à « La Maison ». Assistée par les tombeuses des championnes biélorusses, j'étends les draps sur l'herbe tiède.

Lulu tournoie au-dessus de nous en jacassant. Depuis que je lui ai annoncé que Tatiana rentrait ce soir, elle délire, s'alignant ainsi sur le reste de la famille.

– Après la piscine, on n'a pas le droit de te le dire, Babou, reprend Capucine. Si on te le dit quand même, tu le diras pas au Pacha, promis ?

– Promis.

– Eh bien, on est allés manger une glace trois boules et il nous a dit qu'il avait découvert le pot aux roses.

– Le pot aux roses ?

– Ben, que j'avais volé tes dessins, avoue Capucine.

– Des très, très vieux dans le grenier, complète en vitesse Adèle.

J'ouvre les yeux stupéfaits de l'hypocrisie.

– Tu m'as volé des dessins, Capucine ?

– Et je les ai vendus à un monsieur supergentil.

– C'était pour payer mon collège parce que avec le divorce et le bébé-Noël, maman sera raide, enchaîne la bénéficiaire. Le monsieur a cru que c'était Capucine qui les avait faits.

– Et il les a a-do-rés, s'extasie celle-ci. Il a dit qu'ils étaient très frais et qu'il y avait plein de promesses dans ce pinceau-là, bravo, Babou !

– Et puis le Pacha qui passait par là les a reconnus dans la vitrine, alors il est entré et il les a tous rachetés au monsieur, poursuit Adèle.

Là, c'est moi qui plonge. Dans un abîme de perplexité : Grégoire a racheté mes « gribouillages » au filou ?

– Sauf les deux qui sont partis en Amérique. Ça fait huit.

Elle pousse un gros soupir.

– Maintenant, on n'a plus le droit d'y aller. Si on y va, le Pacha dira le pot aux roses au monsieur. Et toi, le Pacha veut pas que tu saches parce que tu serais triste qu'on ait vendu tes dessins. T'es triste, Babou ?

Je consulte le ciel. En général, il m'inspire bien : je suis une cliente fidèle.

– Je suis heureuse d'avoir deux petites-filles aussi généreuses.

Leurs visages s'éclairent.

– Alors, c'est vrai ? Tu diras pas au Pacha qu'on t'a dit ?

– Plutôt mourir.

Joignant le geste à la parole, je m'affaisse dans l'herbe, bras en croix. Mes poisons en retrouvent leur rire.

Le sujet réglé, nous reprenons notre travail.

– Pourquoi t'as pas une couette comme nous ? demande Capucine en étendant sa part de l'immense drap que je partage avec Grégoire. C'est plus commode pour faire les lits, t'aimes pas ?

– Sous les couettes, j'ai ou trop chaud, ou trop froid. Vois-tu, c'est un peu comme le cœur des grands-mères : la température modérée, ça n'existe pas.

– Modérée ? Ça veut dire quoi, Babou ?

Ce que j'aime chez mon Pacha, c'est quand il cherche partout ses lunettes, ses clés de voiture, son tire-bouchon... En prétendant que c'est moi qui les lui ai perdus pour que je les cherche avec lui.

J'aime quand, avec des mines de lanceur de marteau olympique, il laisse fièrement tomber dans sa verveine son demi-sucre de canne. J'apprécie moins lorsqu'il me reproche de presser le tube de pâte dentifrice par le haut, ce qui fait du gâchis. Ça me donne envie de recommencer. Mais je fonds quand il me demande si je suis bien consciente d'avoir épousé l'homme le plus séduisant de Normandie, basse et haute.

Et de retour ce soir-là d'une séance chez le dentiste, quand j'ai découvert sur la cheminée du salon huit croquis de fleurs encadrés de façon ravissante, et qu'il m'a dit, comme en passant : « Ton antiquaire affirme que l'artiste a du talent, alors si on les laissait là ? » j'ai quasiment a-do-ré.

TROISIÈME PARTIE

THIBAUT ET JUSTINO

31

Le métal jaune a gagné près de vingt dollars hier. Pourquoi cette bonne nouvelle ? Parce que les Américains ont préféré remplir leurs « stocks » plutôt que de dépenser leurs sous. Donc, baisse de la consommation.

Profitant de l'aubaine, les heureux détenteurs d'or l'ont vite vendu pour encaisser leurs bénéfices. Résultat : retour à la case départ.

Mon lingot fait du Yo-Yo. Quand tout va mal sur la planète, il prospère. Quand ça s'arrange, il plonge. Un jour, il m'offre un mois dans mon palace à Genève, le lendemain, ce ne sont plus que trois semaines. Que souhaiter ?

Je me suis remise à mon aile. C'est plus sérieux.

Voilà maintenant dix jours que les Karatine se sont posés à Vizzavona, petit hameau de montagne au cœur de l'île de Beauté, d'où ils peuvent admirer le Monte d'Oro. L'or encore... la famille y serait-elle abonnée ?

Le jardin n'en revient pas du silence retrouvé. Moi-même, je me prends à tendre l'oreille vers l'isba. Pour un peu, *Les Bateliers de la Volga* nous manqueraient. Lulu a recommencé à voleter comme une âme en peine. Grégoire a beau dire, c'est sinistre, ce rideau de fer baissé là-haut.

D'ailleurs, il ne dit rien.

Les Réville, moins Jean-Philippe bien sûr, se gorgent de soleil, de figues charnues et du chant des cigales à Grimaud. Il paraît que Félicie est déchaînée et que Gauthier joue les terreurs sur sa planche à voile. Quand j'ai envie de sourire, j'imagine mon Hugo, sourcils au vent, filant à ses côtés. Que ne ferait-il pour la famille ! N'a-t-il pas offert à Audrey, sa filleule, les seins tout neufs dont profite à présent Jean-Eudes ?

Ne nous reste donc plus, en pays d'Auge, que Thibaut et Justino.

C'est pendant les vacances que Thibaut a le plus à faire avec ses « bandits » car il en écope toute la journée. Aidé par l'Indianos, il organise presque chaque jour des sorties. Ils sont déjà allés plusieurs fois pique-niquer sur la plage d'Houlgate.

Je continue à vivre dans l'angoisse que, pensant nous faire plaisir, Anastasia et lui s'invitent à la maison. Saurai-je me montrer naturelle avec celle qui, selon Audrey, a réveillé la libido assoupie de Jean-Philippe, jetant du même coup ma pauvre fille dans les bras de Jean-Eudes ? Parviendrai-je à embrasser cette garce, alors que je rêve de la mordre ?

Et Grégoire ? Comment réagirait-il s'il se retrouvait face à celle à qui il avait donné sa confiance, et pour qui il éprouvait un faible ?

Comme tous les hommes... Grrrrr.

L'affaire de la botte de Capucine réglée, mon mari a vite refermé la porte de son caisson blindé. On dirait qu'il s'est juré de ne plus jamais s'exprimer sur les affaires familiales. Déjà, il n'était pas tellement bavard, là, c'est le bâillon intégral. Il m'arrive d'avoir envie d'appeler SOS-dialogue.

Marguerite, femme de Maurice, le meilleur ami et comparse de Grégoire au Scrabble, m'a appelée. Ils ont perdu une partie importante et Grégoire n'a pas lancé sa casquette en l'air en trépignant comme d'habitude. Ils sont inquiets.

– On se demande s'il ne nous couverait pas quelque chose, m'a-t-elle dit.

Le « nous » m'a fait chaud au cœur.

– Sans doute une petite crise d'andropause, l'ai-je rassurée.

Après avoir raccroché, j'ai repensé aux paroles de Charlotte : « Il y a autre chose que Gauthier. »

Mais quoi ? Dites-le-moi.

Les gendarmes sont passés hier : un très grand un peu basané et un petit avec l'accent du Midi. Ils nous ont aimablement avertis que des « saucissonneurs » sévissaient dans le coin. Plusieurs maisons isolées avaient été visitées ces derniers temps. Jusque-là, les malfaiteurs n'avaient pas molesté leurs victimes, ils s'étaient contentés de les ligoter et de faire main basse sur cartes bancaires, mobiles et objets de valeur. Lorsque les voitures les intéressaient, ils les embarquaient elles aussi.

Avions-nous une alarme ?

Nous n'en avions pas, non. Les enfants nous y poussaient mais il s'agissait d'une dépense importante et mon commandant de mari n'en voyait pas l'utilité.

Il a expliqué pourquoi aux militaires.

Nos voitures ? Qui voudrait de son Paquebot et de la Rugissante, sinon un collectionneur d'épaves ?

Voyant celles-ci, les gendarmes sont tombés tout à fait d'accord.

Pour les cartes bancaires, cela faisait belle lurette qu'il y avait renoncé, confondant régulièrement son code secret avec celui du domicile de ses nombreux enfants ou amis (neurones défaillants). La mienne (chichement approvisionnée par ses soins) ne ferait le bonheur de personne, ha, ha !

Les mobiles ? Parlons-en. Offerts par nos enfants (fête des Pères, fête des Mères), nous n'avions pu les refuser, mais quelle économie le jour où on nous en débarrasserait. (Pas d'accord.)

Nous étions entrés dans la maison que je prends toujours plaisir à faire visiter car je la trouve adorablement arrangée.

Grégoire a montré le téléviseur, datant de Mathusalem, et le magnétoscope, plus récent, qu'il n'avait jamais réussi à dompter, ce qui le mettait en rage. Voir disparaître cet instrument idiot ne serait pas une bien grande perte. (Toujours pas d'accord, moi, je l'avais dompté.)

À part ça, nous ne possédions pas d'ordinateur, pas d'Internet, et mes quelques bijoux dormaient au fond d'un coffre à la banque.

– Aucun tableau de maître ? s'est enquis le plus petit des gendarmes en pointant les quelques œuvres mineures accrochées aux murs.

– Aucun, a répondu Grégoire sans hésiter, ignorant certains croquis sur la cheminée.

– Pas de lingots cachés dans la cave ou dans le jardin ?

Là, mon Pacha a carrément éclaté de rire. Ils devaient bien savoir qu'un pauvre militaire ne pouvait se payer des lingots.

Je me suis contentée d'adresser un clin d'œil à la pendule, sans autre valeur que sentimentale et heureusement trop volumineuse pour être emportée.

Le précieux cartel de ma mère aurait, certes, pu intéresser des saucissonneurs, mais je l'avais tout récemment mis en pension chez Charlotte car il se refusait à sonner en même temps que la pendule, ce qui créait des conflits entre Grégoire et moi à propos de l'exactitude de nos familles. C'est ça, les vieux ménages !

Passant près de la bibliothèque, Grégoire a désigné, tout en haut, deux petits vases venant, eux, de ma grand-mère maternelle, des merveilles en pâte de verre, décorés de longues fleurs mauves.

– Il paraît que ces trucs hideux ont une certaine valeur, a-t-il raillé.

Le petit gendarme à l'accent du Midi a demandé l'autorisation de monter sur une chaise pour mieux les regarder.

– Ne s'agirait-il pas de vases de Gallé ? a-t-il demandé, une lumière dans les yeux.

– Ils sont effectivement du célèbre artiste, ai-je répondu, satisfaite de les voir appréciés.

Nous avons terminé la visite par un tour de jardin afin que les militaires prennent note que les différentes ouvertures de notre maison étaient bien protégées par des volets. Grégoire a désigné l'isba dont on pouvait, de notre terrasse, admirer l'enseigne.

– Actuellement, elle est fermée, mais qui aurait l'idée de nous cambrioler avec cette guinguette sous nos fenêtres ? a-t-il plaisanté.

Guinguette ou non, j'ai été heureuse que, pour une fois, il juge positive la proximité de sa fille.

– Faites quand même attention à vous, nous ont recommandé les gendarmes après avoir accepté de boire un verre d'eau à la cuisine – pas d'alcool car ils étaient en service. Fermez bien tout avant de vous coucher. Les malfaiteurs opèrent aux petites heures du matin et s'en prennent de préférence aux personnes âgées.

Mon premier réflexe a été de penser que, dans ce cas, nous n'étions pas concernés. Puis j'ai regardé mon compagnon.

Au moment de rentrer dans la voiture banalisée, le petit s'est aperçu qu'il avait oublié son képi sur le buffet de la cuisine. Il fallait le voir foncer !

Nous en avons ri après leur départ : oubli impardonnable venant d'un militaire ! Ce n'était pas à Grégoire qu'une telle chose serait arrivée sur la *Jeanne* !

Je me suis étonnée que seul l'un des deux ait parlé. L'autre, le grand, n'avait pas prononcé un seul mot.

– Tout le monde n'a pas la langue aussi bien pendue que ma femme, a répondu Grégoire sans méchanceté.

À toute chose, malheur est bon ! L'épreuve que nous avions traversée l'avait conduit à se débarrasser de son Mac 50. En une époque plus joyeuse, parions qu'il l'aurait sorti de sa cachette et m'aurait déclaré en le faisant tourner autour de son index, façon cow-boy : « Qu'ils viennent donc ! Nous les recevrons ! »

32

Lorsque j'avais raconté à Thibaut la réaction des Réville devant le tatouage tribal offert à Adèle par Justino, son rire avait dû s'entendre jusqu'aux portes du petit château normand des beaux-parents d'Audrey.

Lorsque mon fils avait appris les malheurs de sa sœur aînée, et même s'il l'aimait tendrement, il s'était refusé à y voir un drame. Combien de femmes trompées, voire battues, n'avaient, elles, aucun moyen de s'en tirer ? C'était en toute liberté qu'Audrey avait pris la décision de rompre avec Jean-Philippe et elle avait déjà un consolateur. Quant au bébé, n'avait-il pas fallu que, dans sa situation, elle montre une sacrée dose d'inconscience pour se retrouver enceinte ?

En ce qui concernait Gauthier, Thibaut m'avait fait remarquer avec beaucoup de gentillesse que la misère de ses « bandits » privés de tout lui paraissait autrement plus tragique que la révolte d'un lycéen brillant qui, quoi qu'il arrive, finirait par décrocher son bac, probablement avec mention, et n'aurait que le choix entre plusieurs grandes écoles.

Les huit années de galère que notre fils avait passées au Brésil, la mort d'Estrella, la femme qu'il aimait, mère de Justino et danseuse de samba, pour qui il avait tout abandonné, lui avaient permis de prendre un certain recul vis-à-vis des épreuves traversées par sa famille : broutilles, selon lui, à côté de ce qu'il avait vu et vécu.

Je ne pouvais m'empêcher de me demander ce qui resterait de cette belle sérénité si Thibaut apprenait que nos malheurs étaient dus pour une grande partie à celle dont il était fou : Anastasia.

Broutille ?

Il est vingt heures trente ce soir-là. Nous venons, Grégoire et moi, de sortir de table et lisons un moment avant de nous coucher – roman pour moi, journal pour le Pacha – lorsque la porte du salon (pas encore cadenassée en prévision d'éventuels saucissonneurs) s'ouvre à toute volée.

Justino !

Quatorze ans, un mètre soixante-quinze, cheveux de jais, yeux de velours, le fils de Thibaut mérite toujours son surnom d'Indianos. Grégoire se lève. C'est droit à lui que va l'adolescent. Il y a entre ces deux-là, depuis le jour où, âgé de huit ans, le petit garçon a frappé à notre porte et demandé anxieusement : « Le Pacha n'est pas là ? », un pacte à la vie, à la mort[1]. Le Pacha sera toujours là pour lui.

– Papa vient de se bagarrer avec Jean-Philippe, annonce-t-il d'une voix essoufflée. Même que Jean-Philippe a saigné du nez.

Pour une fois, Grégoire ne reprend pas le français approximatif. Il désigne la porte.

– Où sont-ils ? demande-t-il, comme s'il s'attendait à ce qu'elle s'ouvre cette fois sur les deux hommes.

1. *Belle-grand-mère*, tome I.

– À Caen, répond l'enfant. On voulait voir *Terminator* au cinéma.

La mine déconfite indique que le vœu n'a pas été exaucé. Grégoire enveloppe de sa patte l'épaule de son petit-fils.

– Eh bien, tu vas nous raconter tout ça ! Viens t'asseoir, ordonne-t-il de la voix « paix du soir » d'un psy.

Justino retire son blouson et l'expédie dans les bras d'un fauteuil – interdit – puis, toujours sans remarquer ma présence, il suit son grand-père sur le canapé. Le pauvre petit est en nage, les cheveux tout collés. Sans rancune, je propose :

– Veux-tu boire quelque chose, mon chéri ?

– Un Coca, s'il te plaît, le devance Grégoire. Et une menthe à l'eau avec des glaçons pour moi.

Dans la cuisine où je repose un instant mon cœur face à l'étoile de mer qui, reconnaissons-le, ne m'a guère aidée jusque-là, je supplie : « Tout, mais pas ça. »

Bien qu'au tréfonds de moi je sache que ce sera certainement « ça » car je ne parviens plus à avaler ma salive.

Lorsque je reviens avec les boissons, Justino achève de raconter à Grégoire les grandes lignes de *Terminator 3*.

– On était dans la queue quand Jean-Philippe est arrivé, explique-t-il. Même qu'il a truandé pour nous rattraper et que les gens ont gueulé mais il s'en contrefoutait, Jean-Philippe. Il a dit à papa qu'il avait de la chance, lui, de ne pas aller au cinéma tout seul. Papa a répondu que la chance se méritait et c'est comme ça que tout a commencé.

Je présente à ces messieurs menthe à l'eau et Coca, puis m'effondre dans un fauteuil avec ma vodka-orange.

– Que veux-tu dire par : « Tout a commencé » ? demande le Pacha de sa voix de docteur.

– Ben, la bagarre ! répond Justino après avoir sifflé une bonne partie de sa boisson. Jean-Philippe a demandé à papa ce qu'il voulait dire par « la chance qui se méritait », papa a répondu que quand on s'envoyait en l'air avec toutes les minettes qui passaient, on pouvait s'attendre à des représailles de la part de sa femme, comme par exemple à aller voir *Terminator 3* tout seul !

Je reconnais bien là l'humour noir de mon fils et ingurgite une rasade de jus de fruits amélioré en prévision de la suite.

– Pendant ce temps, la queue avançait mais pas nous et les gens gueulaient qu'il fallait savoir ce qu'on voulait, poursuit Justino. Et puis Jean-Philippe a ri et il a demandé à papa : « Tiens ? Et Anastasia, qu'est-ce que tu en as fait ? » Papa a répondu : « Elle tourne. » Et Jean-Philippe a ri encore plus fort : « La tête des hommes, oui, c'est même son tournage préféré et tu peux t'attendre à être bientôt mis hors scène comme moi. »

L'ange de la trahison passe dans le salon.

« Comme moi »... Comme Jean-Philippe... Jean-Philippe et Anastasia, c'est dit ! Thibaut a appris son malheur. Et par qui ? Par l'un de ses instigateurs. Qui aurait cru le fils de Lise et d'Henri capable d'une telle vilenie ? Mitrailler le dernier pan de la famille qui restait encore debout pour se venger d'Audrey. Ah, ils peuvent bien refuser de manger mes cakes ! Jean-Eudes, vous avez gagné : je commence à vous aimer.

Notre petit-fils termine son Coca-Cola, apparemment pas plus choqué que ça.

« Crois-tu que Justino en fera une maladie ? » avait demandé maman au Cigalou.

Il regarde l'un, puis l'autre, avec les beaux yeux de velours d'Estrella.

– Nous, on le savait déjà. Mais on voulait pas vous en parler pour pas que vous fissuriez.

Grégoire s'éclaircit péniblement la gorge.

– Peux-tu préciser ? Que saviez-vous exactement ?

– Ben, qu'avant papa Anastasia s'était fait Jean-Philippe. Même que Tim avait entendu Audrey lui dire qu'elle pourrait l'envoyer en prison pour détournement de mineure.

– Et quand tu dis « nous », tu veux dire qui exactement ? insiste Grégoire, non sans masochisme, après avoir avalé de travers une gorgée de menthe à l'eau.

– Ben, tous... Tous les enfants. Sauf Tatiana qui était chez sa copine.

Mon cœur se dilate. J'imagine nos petits-enfants réunissant les états généraux et votant le black-out pour que leurs pauvres vieux grands-parents ne fissurent pas ! Un secret de famille, ce n'est pas forcément la honte qui le fonde, il arrive que ce soit la générosité.

– Et alors, papa qui savait pas non plus a cogné Jean-Philippe, reprend Justino en esquissant le geste. Et paf dans le citron !

Et paf fort, j'espère ! Mon pauvre Thibaut, quel choc !

– Et ensuite ? demande Grégoire d'une voix qui, à présent, évoque plutôt celle du patient atteint de tachycardie que celle du psy de service.

– Ensuite, y avait une dame qui voulait appeler la police. Jean-Philippe s'est relevé de par terre, mais comme il avait paumé ses lunettes et qu'il voyait plus rien, il s'est barré.

Lâche, en plus ! Qui cela étonnera-t-il ?

Justino sort ladite paire de lunettes de sa poche et la pose sur la table. Clac ! Nous voilà bien avancés avec ça.

– Et où est ton père, maintenant ? chevrote Grégoire.

– Je ne sais pas. Il m'a crié de venir ici et il est parti. Cette fois, j'espère qu'il va la virer, la salope.

Cette fois ? Tiens, tiens ! Y aurait-il de l'eau dans le gaz ?

« De toute façon, ça ne durera pas », avait prédit également ma devineresse de mère.

Mais soudain l'orage éclate dans mon cerveau, l'angoisse balaie ma poitrine. « Il m'a crié de venir ici »... Dans quel but Thibaut s'est-il débarrassé de Justino en nous l'envoyant ? Après ce qu'il vient d'apprendre, ne risque-t-il pas de commettre l'irréparable ? Terminator ? Terminé !

Je me lève.

– J'y vais !

Avant que j'aie pu faire un pas, une poigne de fer s'empare de mon bras.

– Tu ne vas nulle part. Tu restes ici, ordonne Grégoire. Et tu cesses de te mêler de tout. Tu arrêtes de traiter tes enfants comme des mineurs.

Depuis le jour J familial, c'est la première fois qu'il élève la voix. Et pour prononcer quelles paroles !

Je reste pétrifiée.

33

Ainsi, je me mêlais de tout ? Je traitais mes enfants comme des mineurs ? Bref, je les empêchais de grandir ?

« T'es lourde, maman. Arrête. »

Que de fois Audrey ou Charlotte m'avaient-elles lancé ces paroles désobligeantes. Et avais-je pour autant cessé d'intervenir à tout bout de champ, de dire le bien et le mal, le bon et le mauvais ?

Qui avait traîné Grégoire chez Audrey après le coup de portable catastrophe de Tim ? Nous avait-elle invités ?

Qui, le lendemain, dès l'aube, avait couru à l'isba pour dévorer les pâtisseries de Charlotte et donner son avis sur Anastasia et Jean-Philippe ? Cet avis, ma cadette me l'avait-elle demandé ?

Et Gauthier ! Parlons-en de Gauthier... Lorsque j'étais allée à son lycée l'arracher à ses amis pour lui raconter la dernière guerre et les hauts faits de son grand-père, m'avait-il sonnée ?

« Cesse de te mêler de tout ! »

Et si Grégoire avait vu juste ? Mère abusive, pourquoi pas grand-mère accaparante ?

Une onde de révolte m'a saisie : j'aurais bien voulu l'y voir, lui !

Aurait-il raccroché au nez de Tim lorsqu'il m'avait lancé son SOS : « Allô, Babou, viens vite. On a besoin de toi » ?

Aurait-il voulu que je n'écoute pas ma mère lorsque, si justement, elle m'avait avertie que Gauthier filait un mauvais coton ?

Et lui-même n'avait-il pas agi dès que je l'avais informé que Capucine pillait mes œuvres pour remplir sa botte ?

Et puis s'imaginait-il que c'était moi qui allais chercher ma descendance, Justino, par exemple, hier ? Elles étaient peut-être venues toutes seules sur notre table, les lunettes de Jean-Philippe ? Ce traître !

Moi, mon cher monsieur, je ne demandais qu'à vivre en paix. Je n'y pouvais rien si on me « sonnait » tout le temps. « Allô, Babou ? » « Coucou mamouchka. » « T'es là, maman ? »...

Ou alors, d'accord, il aurait fallu que nous ne t'achetions pas, Maison ! Si nous étions restés tranquillement à Caen, dans notre trois pièces dont une seulement était « à donner », nous n'aurions pas eu tous ces emmerdements, rien qu'une petite vie morne, cœurs et bras non employés.

« Tes enfants, tu les auras tout le temps », avaient prédit Diane et Marie-Rose, lorsque je t'avais découverte.

En effet, je les avais eus tout le temps.

Charlotte était venue se réfugier entre tes murs avec sa Capucine après avoir jeté son premier mari pour cause d'ennui insurmontable. Merci, Maison !

Thibaut et Justino avaient frappé à ta porte à leur retour du Brésil, tous deux désespérés, sans un radis. Merci, Maison !

Et les Karatine avaient construit leur isba sur ton terrain plutôt qu'en Sibérie. Merci, Jardin !

Et d'ailleurs n'était-ce pas pour tout ça que je t'avais tant désirée ? Pour que tu sois lieu de refuge et de rassemblement. De plaisir aussi.

Pour entendre le grincement des anneaux d'une balançoire d'où toutes les petites filles du monde partent à l'assaut du ciel, tandis que tous les petits garçons du monde beuglent en courant après un ballon.

Pour planter une chêneraie.

Et, incidemment, pour y avoir mon atelier où peindre en paix des « fleurettes » sur mes coffres. Merci, Diane !

Je l'ai appelée sur le téléphone vert dès mon réveil et lui ai donné rendez-vous, toutes affaires cessantes, à La Caverne.

Lorsque j'ai filé en cachette de Grégoire, Justino dormait encore après nous avoir bombardés toute la nuit avec une musique à laquelle je préférais nettement Édith Piaf ou Lara Fabian.

Quand je suis arrivée, Marie-Rose passait le plumeau sous l'œil vigilant de Diane, carrée dans une bergère-gondole Louis XVI. Nous avons pris place plus modestement à ses pieds sur des chaises de même époque et j'ai raconté ce que j'avais préféré taire jusque-là pour cause d'odeurs pestilentielles.

Anastasia, ma belle-petite-fille, s'était envoyée son oncle, mari d'Audrey, avant de se faire son cousin, mon fils...

J'ai conclu par *Terminator*.

– Tu en as encore beaucoup des comme ça en réserve ? a demandé Marie-Rose, gardant cette fois son sang-froid.

Ne me restait que le lingot, mais celui-là, même sous la torture, elles ne l'auraient pas.

– C'est fini.

– Pauvre Thibaut, a compati Diane. Estrella, Yocoto, et maintenant Anastasia, tu avoueras que ça fait quand même beaucoup.

Brésil, Japon, Russie, en effet ! J'ai voulu plaisanter sur la mondialisation mais ça n'est pas passé. Si même l'humour me lâchait, je n'avais plus qu'à me mettre moi aussi au Scrabble. Croyez-moi, là, on ne rigole pas !

– Si on peut l'aider, tu le dis, a proposé Diane.

Parmi mes enfants, Thibaut est son préféré. Ainsi que sa bonne œuvre...

Elle s'occupe de la comptabilité de L'Étoile et prend grand plaisir à répandre sur les « bandits » des flots de sucreries d'un autre âge, achetées à prix d'or dans les confiseries des beaux quartiers, ce qui lui rappelle sa propre enfance (dorée). Confiseries que les enfants acceptent avec reconnaissance, car dans ses bijoux, ses robes de soie mauve et ses fourrures, Diane ressemble à une reine et que, depuis d'Artagnan, même les bandits n'ont rien à refuser aux reines.

– Je suis venue vous poser une question vitale pour moi, ai-je annoncé solennellement.

– Une minute, m'a arrêtée Marie-Rose en sautant de sa chaise.

Elle a couru chercher son paquet de cigarettes dans le tiroir secret d'un secrétaire Empire. Diane a fait la grimace. Notre brocanteuse, qui avait arrêté de fumer pour fêter ses quarante ans, a repris récemment pour célébrer ses soixante-dix, préférant, affirme-t-elle, mourir de plaisir que de continuer à vivre en état de manque.

– Tu peux y aller, on est tout ouïe, a-t-elle dit après avoir aspiré une ample bouffée de poison.

J'ai pris mon élan.

– Suis-je une mère et une grand-mère abusive ?

Nous avions fait autrefois le serment de toujours nous dire la vérité, et de nous crier halte si nous dérapions.

Un silence qui en disait long m'a répondu : je dérapais.

– Pour tout t'avouer, il nous est arrivé de nous poser la question, s'est lancée Diane d'un ton prudent. Nous nous sommes même dit récemment que si tu te mettais la rate au court-bouillon, c'est que tu le voulais bien.

Ayez des amies, ça réchauffe le cœur...

– Vous n'allez quand même pas me dire que c'est moi qui fais le bouillon ! ai-je protesté.

– Pas du tout, m'a rassurée Marie-Rose, on trouve seulement que tu t'investis trop. Imagine par exemple que tu sois venue avec nous en Guyane, crois-tu que ta famille s'en serait plus mal portée ? Et toi, tu aurais meilleure mine et sûrement meilleur moral.

– Une minute, les ai-je arrêtées à mon tour.

Le temps de descendre sincèrement en moi-même : je ne suis pas du genre à bâillonner ma conscience.

Si j'avais été en pirogue sur le fleuve Kourou, Tim n'aurait pas pu me lancer mon SOS.

Si j'avais accompagné mes amies dans leurs forêts bleues, Grégoire n'aurait appris les batifolages de Jean-Philippe et le bébé-Noël d'Audrey que lorsqu'elle n'aurait plus été en état de les cacher.

Il n'aurait pas engueulé Lulu.

Je ne serais pas descendue au Cigalou pour me venger, et maman n'aurait pas pu me mettre la puce à l'oreille pour Gauthier.

Je ne serais donc pas allée le chercher à son lycée pour le gonfler avec les prouesses de son grand-père à Ouistreham.

Vertige.

En me privant de ce beau voyage, n'avais-je pas, en effet, été à l'origine de l'effondrement de ma famille ?

J'ai arraché sa cigarette à Marie-Rose et avalé une taffe. Je comprends mieux Audrey. Sinon qu'elle, la fumée ne la fait pas tousser comme une malade.

– Tu vois..., a soupiré Diane en me tendant une serviette rafraîchissante, piquée dans un avion.

Hélas, je ne voyais que trop bien.

– Tout ce qui est arrivé est arrivé par ma faute, ai-je constaté, une fois mon souffle retrouvé.

– Mais qu'est-ce que tu nous racontes là ? Crois-tu vraiment que tu aurais pu empêcher quoi que ce soit ? s'est récriée Marie-Rose joyeusement. La seule chose qu'on te reproche est de t'être privée d'un peu de bon temps, c'est tout. Et puis, on est comme on est, trop tard pour se changer. Toi, tu prends ta famille trop à cœur, Diane préfère l'oublier et moi j'ai choisi de m'en priver. Tu mélanges le tout, tu secoues bien, et tu tires la femme idéale : une pour toutes, toutes pour une. C'est nous !

Diane a applaudi.

– Et maintenant, je suppose que le prochain à sauver est Thibaut ? a-t-elle demandé.

– Pas question, ai-je répondu. Il n'est jamais trop tard pour bien faire, aussi ai-je décidé de le laisser grandir.

34

En ne donnant pas signe de vie à mon fils alors qu'il ne se passait pas une heure sans qu'il cogne à mon cœur, sans qu'il dévaste mon estomac.

Me persuadant que Justino, dont nous n'avions plus de nouvelles, était le plus épanoui des enfants entre un père au désespoir et les « bandits » de L'Étoile.

Résistant au désir lancinant d'appeler Le Cigalou : « Au secours, maman ! » Et d'avertir Audrey que Thibaut savait tout pour Jean-Philippe et Anastasia. Les enfants, itou.

Répondant à Charlotte qu'ici tout allait bien, madame la marquise, lorsqu'elle avait appelé de son île pour nous raconter qu'elle et sa famille vivaient au paradis.

Le tout face à un homme muet qui, me semblait-il, s'éloignait de plus en plus de moi. Qui me laissait tomber ?

Trois jours d'attente sur des charbons ardents se sont écoulés.

Puis nous est tombé du ciel l'oiseau que nous n'attendions pas.

Anastasia.

Il est midi trente à l'horloge Mickey et nous nous apprêtons à aller tristement à table lorsque sa voiture pile sur la mignonnette rose de la cour et qu'elle jaillit dans la cuisine.

– Alors, vous êtes contents ?

Voix éraillée, visage non maquillé, yeux rouges. Rien du pimpant mannequin que, depuis la révélation d'Audrey, je me passe en boucle avec fureur – une petite fille qui a pleuré.

– C'est ce que vous vouliez ?

Misérable BB (bobonne-bourgeoise) dans mon tablier, j'éteins le gaz sous les escalopes-purée, tandis que Grégoire, lui, PP (papy-prolo) dans sa tenue haillons numéro 10, s'approche d'Anastasia, sa serviette à la main.

– Ne crois-tu pas que nous serions mieux dans le jardin pour parler ?

– Dans le jardin, bien sûr ! ricane notre visiteuse. Votre jardin de merde.

La chaleur qui enflamme mes joues n'est due en rien à mes fourneaux. Insensible au compliment, Grégoire remet tranquillement sa serviette dans son rond et fait signe à Anastasia de le suivre. Vous couperiez cet homme en rondelles qu'il ne réagirait pas plus. Je retire mon tablier et leur emboîte le pas. Je n'ai promis à personne de laisser Anastasia grandir.

Depuis ce matin, le ciel a ses vapeurs. Le brouillard commence seulement à se dissiper, aussi Grégoire n'a-t-il pas déployé le parasol. Un doux parfum de gazon désaltéré monte. Au moins quelqu'un de content ici !

Grégoire jette trois coussins sur les fauteuils et s'installe d'autorité sur le plus proche du mien. Depuis *Terminator*, je suis en garde à vue chez moi.

Anastasia reste debout, appuyée à la table, toute fine dans son pantalon et son T-shirt moulants. Si je devais la dessiner, ce serait en liseron. Ces fleurs à la fois légères et épanouies dont on se demande où les jeunes filles graciles d'aujourd'hui peuvent aller les chercher.

– Tu ne veux pas t'asseoir ? demande Grégoire.

Elle fait « non » et attaque sans attendre.

– Je pense que vous savez que ce sale blaireau est allé tout raconter à Thibaut... Vraiment dégueulasse !

Grégoire prend une longue inspiration.

– Je suppose que le blaireau s'appelle Jean-Philippe, et que ce que tu appelles « tout » est ce qui s'est passé entre vous deux, précise-t-il. Et je croyais me souvenir que tu t'étais engagée à le laisser tranquille.

Un sursaut de colère dresse Anastasia devant nous.

– Et si c'était ce grand con qui ne m'avait pas laissée tranquille ? Ça ne vous est pas venu à l'idée ? Mais non, bien sûr. Jean-Philippe le parfait, le petit saint... Le faux cul, ouais. Si vous voulez savoir, après Le Cigalou, il me lâchait plus. Et il n'a jamais accepté que je l'aie viré. Surtout pour Thibaut : « Le petit merdeux », comme il l'appelle.

Thibaut, un petit merdeux ? Mon sang ne fait qu'un tour. Je tente en vain de me raccrocher au regard de Grégoire, lui, tétanisé, asphyxié. Tachycardie en marche ?

Non ! Pas une fois l'idée ne m'avait effleurée que ce puisse être Jean-Philippe qui, après le château d'If et la promesse faite à ma mère, ait relancé Anastasia. Que la trahison ait pu venir de lui.

« Détournement de mineure », a dit Justino. À l'époque, en effet, Anastasia n'avait pas dix-huit ans. Quelle honte ! Jean-Eudes, rassurez-vous, je vous aime de plus en plus.

Le regard d'Anastasia monte à présent vers l'isba où elle vivait avec son père et notre généreuse Charlotte avant de s'installer avec Thibaut. Je la revois, si jolie déjà, courant dans le jardin pour venir confectionner des pâtes de pomme avec moi. Une passion bien innocente, celle-là.

– De toute façon, constate-t-elle avec rancœur, vous ne m'avez jamais acceptée vraiment. Victor, oui, à cause de ses reins, mais ni Dimitri ni moi.

Dimitri, le long garçon mélancolique et rêveur qui s'essayait à la poésie et voulait faire du théâtre, nous n'avions guère eu le temps de le connaître : il avait très vite rejoint sa mère, Galina, première femme de Boris et artiste lyrique, à Londres.

Mais Anastasia, si, il me semblait que nous l'avions acceptée ! Elle avait sa chambre dans notre maison. Nous avions fait ce que nous pouvions pour qu'elle se sente des nôtres.

– Quant à Justino, le petit chéri, le chouchou... même si, à ce qu'il paraît, vous traitiez Estrella de « putain », il ne s'est jamais privé de me faire savoir que je n'étais pas la bienvenue chez vous, ajoute-t-elle, cette fois en direction de Grégoire.

Justino le petit chéri... Mon pauvre Pacha baisse la tête. Pense-t-il à Gauthier ? Ce n'est certes pas lui qu'Anastasia pourrait traiter de chouchou !

– Et après tout, j'en ai rien à foutre de votre famille, conclut-elle. Je me débrouille très bien toute seule. Il vous l'a pas dit, Thibaut ? Je gagne dix fois plus que lui.

Sa voix a dérapé, contredisant le ton de défi. Et moi qui, jusque-là, n'ai cessé de l'attaquer, qui l'ai détestée, envoyée au diable, j'éprouve à présent un sentiment de pitié.

Sur la balance du bonheur, c'est l'amour qui pèse dix fois plus que les gros sous.

« N'oublie jamais que Galina l'a abandonnée avant que son cœur soit formé », avait dit Fée.

Elle s'approche de moi, arrache de son doigt la bague que je lui avais offerte lorsqu'elle et Thibaut avaient décidé de vivre ensemble, payée par la vente de mon œuvre : *La Dame blanche,* à un amateur qui, entre parenthèses, n'avait pas jugé, lui, que l'artiste avait encore des progrès à faire. Une bague que nous avions choisie ensemble, Anastasia et moi, chez un bon bijoutier de Caen : émeraude sur monture moderne.

Elle la jette sur mes genoux.

– Merci quand même.

Et je me souviens. C'est comme une gifle.

Ma grand-mère ne m'avait pas laissé que les précieux vases de Gallé en héritage. Elle m'avait également légué sa bague de fiançailles : un diamant tout simple.

– Elle sera pour la femme de ton fils.

La première femme de Thibaut, Estrella, était morte avant que j'aie pu la connaître et l'apprécier. Pas une minute je n'avais songé à offrir le diamant à Yocoto, avec laquelle notre fils n'avait eu qu'une liaison passagère.

Mais Anastasia !

Un instant, oui, l'idée m'était venue d'offrir à cette petite fille aux doigts ornés de pacotille sa première « vraie bague ».

Pour y renoncer finalement.

Elle n'a dit que la vérité : je ne l'ai jamais vraiment acceptée dans la famille.

Et lorsque, avec un déchirant soupir, elle regarde le « jardin de merde » et murmure : « C'était bien, pourtant ! » j'ai honte.

35

Ce matin, je me suis engueulée avec Grégoire qui avait, une fois de plus, égaré sa clé de la maison : une occasion comme une autre de se parler ?

Bien la peine de lui avoir offert ce magnifique porte-clés en forme de bateau, peint par mes soins, doté de multiples crochets qui nous permettaient d'y suspendre toutes nos clés, y compris celles des voitures familiales ; astucieusement placé près de la porte de la cuisine par laquelle tout le monde entrait.

Mais sans doute était-ce un trop gros effort pour ses neurones défaillants. Ah, ses clés ! Si l'on calculait le temps gaspillé à les chercher !

Bien entendu, il niait ! Jurant que la veille ladite clé était encore à son crochet. Il se voyait tendre la main pour l'y déposer. N'importe quoi !

En attendant qu'il la retrouve Dieu sait où, sans doute au fond d'une de ses poches, il a emprunté celle de Thibaut et décidé d'en faire faire deux copies pour en avoir toujours une en réserve.

Je lui ai suggéré de penser également à une femme de réserve pour le jour où il me perdrait après avoir trop tiré sur la corde. Il m'a répondu que la porte était grande ouverte : voilà où nous en sommes !

Jean-Philippe a-t-il une paire de lunettes de réserve ? Les siennes, confiées obligeamment à nous par Justino, attendent toujours on ne sait quoi ou qui dans un coin de bibliothèque : rayon science-fiction.

Quant à la bague d'Anastasia, source inépuisable de remords, je l'ai cachée hors de ma vue et me suis juré de ne plus jamais prononcer le mot « putain ».

Thibaut sait-il qu'elle est venue nous voir ? L'a-t-il virée ainsi que le souhaitait Justino ? De toute façon, comme il doit souffrir !

– Laisse-le régler cette affaire tout seul, m'a ordonné Grégoire. S'il y a quelque chose dont tu ne dois pas te mêler, ce sont bien ses affaires de cœur.

En attendant, le mien saigne. Presque une semaine que nous sommes sans nouvelles de lui.

Pour quelqu'un qui attend désespérément un appel, le téléphone est le pire des supplices.

Nous avons trois lignes à la maison : celle du téléphone fixe et celles de nos portables. Lorsqu'une sonnerie retentit, mon estomac fait le grand huit, je me précipite. Mais ce n'est jamais lui, jamais mon fils !

« Et si, par malchance, il essayait justement de me joindre alors que c'est occupé ? »

Dans cette crainte, je perds toute éducation, réponds n'importe quoi pour abréger, prétends avoir de la fièvre. Et, si la communication s'éternise, je coupe.

Tout ça pour attendre en vain la seule voix qui m'importe.

Que de fois m'est-il arrivé de décrocher afin de m'assurer que la tonalité était bien là.

À combien de reprises ai-je formé le numéro du loft, ou celui de L'Étoile, pour, finalement, renoncer.

J'ai promis à ce maso de Grégoire.

Si au moins mes filles étaient là. Vis-à-vis d'elles, je ne me suis engagée à rien. Je leur demanderais d'aller voir leur frère, de lui dire combien je pense à lui et comme je me fais du souci. Elles m'en donneraient des nouvelles.

Mais elles ne rentrent de vacances que dans une dizaine de jours.

Je supplie Grégoire.

– Et si Thibaut prenait notre silence pour de l'indifférence ? Laisse-moi au moins l'appeler pour lui dire que nous l'aimons.

– Crois-tu vraiment qu'il ne le sait pas ?

Il m'arrive de haïr cet homme.

Ma chère Diane m'a appelée hier, m'apportant une bouffée d'oxygène.

– Je suis passée à L'Étoile. J'ai vu ton fils et Justino. Ça m'a eu l'air d'aller. Ils préparent une grande sortie au Mémorial de Caen. Je n'ai parlé de rien, tu penses ! Et toi ?

– Moi, rien ! Le silence. Diane, si tu savais comme je galère...

– Laisse-lui du temps, ma choute, tu verras que tout s'arrangera.

Et bien que ce soit là le nom doux qu'elle donnait à sa loulou de Poméranie, emportée l'an dernier par la vieillesse, le « choute » m'a fait pleurer de reconnaissance.

Et puis enfin, ce matin !

– Thibaut a appelé, m'a annoncé Grégoire comme je rentrais du marché. Il nous invite à dîner ce soir à la pizzeria. Si ça te va, nous le prendrons chez lui à sept heures et demie.

Si ça me va ? Pervers, en plus !

36

Le loft de notre fils et d'Anastasia se trouve dans la banlieue de Caen, un ancien atelier de confection au fond d'une cour pavée, non loin de L'Étoile.

C'est Justino qui nous accueille. Plumes de jais bien lissées, fleurant bon le shampoing, l'air tout fier de jouer les maîtres de maison.

En l'absence de la maîtresse ?

– Papa revient tout de suite. Il a dit que vous vous installiez.

Nous prenons place dans le « coin salon », quelques poufs de couleur autour d'une table basse : planche sur briques.

Il y a aussi, séparés par des paravents, le « coin chambre », le « coin cuisine », le « coin salle de bains ».

Tout ce que je déteste.

J'aime les portes closes, les recoins secrets, les couloirs à frissons, la nuit et les « entames » (chambres du fond). Prenant place sur un pouf, je me demande si ce décor ne correspond pas à l'époque actuelle : plus de mystère ni de secrets, les corps nus sur les plages, les cœurs sur le petit écran. La transparence jusqu'au vide, à l'inexistence. N'est-on pas riche de ce que l'on cultive dans les replis de son âme ?

Il faudra que j'en parle à mes philosophes.

Au mur, un gros plan du visage d'Anastasia me laisse incertaine. Là ? Pas là ? Que penser ? Les portraits d'Estrella, un peu partout, n'ont, eux, jamais cessé de faire partie de l'univers de Thibaut.

« Il paraît que vous l'appeliez "la putain" ». Qui a bien pu révéler à Anastasia ce jugement hâtif que Grégoire a si souvent regretté ?

– Salut, les parents !

Voilà notre fils, son sac à dos plein de bouteilles. Il pose le tout sur la table puis vient m'embrasser avant de serrer la main de son père. Enfin ! Enfin !

Cette ride au coin de sa bouche, est-elle nouvelle ? Peut-on maigrir autant en même pas une semaine ?

– Tu vas nous chercher des verres, Justino ?

Justino fonce vers la cuisine. Thibaut sort les bouteilles du sac et les aligne sur la table.

– Qu'est-ce que vous buvez ?

Ce sera jus d'orange pour moi, bière pour les hommes, et pour Justino, on devine. Avec paille.

Quoi de plus pénible que de se sentir en visite chez ses enfants ? Vous ne savez plus comment vous comporter. Vous êtes dépossédé. Vous reviennent des souvenirs magnifiques de cavalcades endiablées, pièces dévastées, dégringolades d'escalier. « Arrêtez de claquer les portes... » « La musique un peu moins fort, s'il vous plaît »... Et, en réponse, des : « Qu'est-ce qu'on mange pour dîner ? » Quand ce ne sont pas des : « J'en ai marre de cette baraque »...

Et vous avez beau tout faire pour les civiliser, leur enseigner les bonnes manières, quand ces manières s'adressent à vous, vous voilà toute tourneboulée.

Pourquoi Thibaut n'a-t-il pas mis une cravate pendant qu'il y était ? Justino est bien passé sous la douche en notre honneur, alors qu'à la maison il faut se mettre à genoux pour qu'il consente à prendre un savon.

Sa boîte de Coca à la main, il se balance d'un pied sur l'autre, indécis.

– Tu n'es pas obligé de rester, fils, lui dit Thibaut.

Pour toute réponse, fils tombe en tailleur devant le siège de son père.

Celui-ci boit quelques gorgées de bière puis se décide.

– Anastasia est partie hier. Elle ne reviendra plus.

La voix est lourde de douleur. Spontanément, ma main se tend. Celle de Grégoire l'arrête : chut !

– Quand j'ai su pour Jean-Philippe... Jean-Philippe et elle, j'ai commencé par la virer, poursuit Thibaut. Puis j'ai réfléchi. Je suis allé la rechercher et nous avons parlé. Parlé vraiment. Ça faisait longtemps.

Brusquement, il s'arrache de son pouf et va vers la photo que j'avais remarquée il y a un instant. Anastasia fixe on ne sait quoi avec défi, lèvres entrouvertes, œil provocant.

– Avez-vous déjà assisté à une séance de pose ? demande notre fils. C'est presque... indécent. Une sorte de parade amoureuse entre photographe et mannequin. Il n'y a qu'à entendre le photographe pendant qu'il mitraille son modèle : « Tu es belle... oui... oui... Comme ça, continue, encore, encore... Donne... » Et la fille se donne, elle s'ouvre. Elle jouit, littéralement. Anastasia faisait l'amour avec l'objectif, avec son image. Elle n'en était jamais rassasiée. On ne lui disait jamais assez qu'elle était la plus belle et qu'on la désirait.

À nos pieds, Justino frappe rageusement le sol de ses baskets. Je souffre pour lui. J'aurais préféré qu'il ne reste pas. Thibaut revient prendre place parmi nous.

– J'ai toujours su qu'elle me trompait, nous apprend-il d'une voix lasse. J'essayais de ne pas y attacher d'importance ; elle disait que j'étais son point fixe, qu'elle m'aimait...

« Pas d'accord », crie le regard de Justino sur son père.

Pas d'accord pour trouver des excuses à celle qui fait souffrir celui-ci ? Qui a pris la place d'Estrella ?

Thibaut pose la main sur la crinière de son fils, qui se dégage d'une ruade de taurillon furieux.

« Tais-toi », continue de m'ordonner la poigne de Grégoire sur mon bras.

– Galina..., soupire Thibaut. La chanteuse adulée par les médias ! L'image, elle aussi. Ça ne doit pas être facile d'avoir une mère qui vous a préféré sa carrière. Vous me direz qu'Anastasia avait Boris, pétri d'admiration pour elle. Mais l'admiration, ça peut être une barrière. On a surtout besoin d'être aimé quand on est moche, nul, de mauvais poil. Quand on ne pose pas... Sinon, on a l'impression que les autres s'adressent à la mauvaise personne.

Il lève les yeux sur nous.

– J'ai connu ça.

Grégoire ploie la tête. Il arrive à notre fils d'être impitoyable ! Lui, la mauvaise personne, quand il faisait navale pour complaire au Pacha de la *Jeanne* ? Avant de rencontrer Estrella, qui avait su le voir et l'aimer tel qu'il était : pas militaire pour un sou. Musicien et bohème.

« Ce sera cette putain ou nous. »

Et Thibaut avait disparu durant huit longues années.

Il se penche à nouveau vers l'Indianos.

– Nos bandits, à L'Étoile, il t'arrive de les plaindre. Tu qualifies leur sort d'injuste. Eh bien, dis-toi que malgré leurs emmerdes, les taudis où ils vivent et leurs pères au RMI, ils sont plus riches qu'Anastasia avec tout le fric qu'elle ramasse. Eux, ils ont leur maman à la maison. Pas forcément à la hauteur, la maman, mais ils l'ont. Et la tienne, toi, tu sais qu'elle t'a aimé plus que tout au monde.

– N'empêche..., grommelle Justino dans sa barbe naissante.

N'empêche quoi ?

Qu'il peut toujours lever les yeux au ciel d'un air excédé et hausser les épaules, il sait bien qu'entre le souvenir d'une mère qui l'a en effet adoré et un père qui le prend tel qu'il est, il est privilégié.

Sans compter ses grands-parents !

Thibaut a un rire triste.

– N'empêche que si Anastasia avait eu l'honnêteté de m'apprendre qu'elle avait fricoté avec Jean-Philippe, je me serais contenté de l'aimer comme un cousin. Quant à ce salaud, il n'a regardé que son désir. Il n'a pas voulu voir qu'il avait en face de lui une gamine paumée qui jouait avec le feu.

Pour la première fois, il a parlé avec colère. Il attrape la bouteille de bière et la termine au goulot.

– Elle m'a supplié de la reprendre, elle a promis de ne plus recommencer... oui, une petite fille ! Mais sans la confiance... alors j'ai dit non. Elle est partie hier rejoindre Dimitri à Londres.

La main de Grégoire a lâché mon bras : feu vert pour m'exprimer ? Je n'en ai plus envie.

« Il arrive que les enfants donnent des leçons à leurs parents », avais-je raconté à Gauthier. C'est ce que Thibaut vient de faire pour nous. Et quelle leçon ! Lucidité, générosité.

« S'il y a quelque chose dont tu ne dois pas te mêler, ce sont les affaires de cœur de ton fils »...

Si, après la visite de Justino, je m'étais précipitée ici. Si j'avais pris mon fils dans mes bras, que je l'avais bercé, consolé, excusé. Le tout en descendant Anastasia, bien entendu ! Nous aurait-il parlé ainsi ce soir ?

Il y a des deuils que l'on ne peut accomplir que face à face avec soi-même et avec sa souffrance. En allant tout seul sonder les replis de son âme.

Merci, Grégoire.

Puis Thibaut s'est relevé et il s'est étiré longuement, haut, tête renversée : adieu, la nuit, salut, le jour ?

– Je croyais qu'on avait parlé d'une pizza ? nous a-t-il lancé.

Il m'a tendu la main pour m'aider à sortir du pouf.

– Merci, mon chéri.

Mes premiers mots.

– Pas facile de s'extirper de ces machins-là, a râlé Grégoire.

Idem pour lui.

Comme nous passions devant la photo d'Anastasia, l'Indianos l'a montrée du doigt.

– On va quand même pas la laisser là toute la vie ? a-t-il grommelé.

– Et pourquoi pas ? Que tu le veuilles ou non, cette vie, Anastasia en a fait partie. Et on a quand même eu de bons moments ensemble, non ? a répondu Thibaut.

Et bien que Justino réponde par un soupir aussi mastoc que le Pain de sucre à Rio, j'ai su que la leçon germerait en lui. Il en prendrait de la graine ; elle ferait grandir l'arbrisseau.

Nous marchions vers la pizzeria, plutôt allègrement, ma foi, lorsque Thibaut s'est penché vers son père.

– Merci de m'avoir appelé. Tu as bien fait.

– C'est que ta mère commençait à s'inquiéter, a répondu cet hypocrite.

Je l'aurais tué.

Justino a choisi une pizza « féroce » : poivrons, piments et une tonne d'ail.

– Ça ne t'ennuie pas trop, pour l'odeur ? a-t-il demandé à son grand-père.

– Pour parer à cette épreuve, je ne vois qu'une solution : en prendre une moi aussi.

Ce qu'il a fait.

Je l'ai aimé.

N'empêche...

37

Quelle heure est-il ? Un bruit dans le couloir me réveille en sursaut, le cœur battant. À mon côté, Grégoire ronflotte. Aurais-je rêvé ? Non ! C'est allumé dans le couloir.

J'attrape l'épaule de mon mari en l'appelant à voix basse lorsque la porte s'ouvre à toute volée et que la lumière éclate au plafonnier.

– Ne criez pas ! On ne vous fera pas de mal.

Je crie et me redresse. Deux hommes encagoulés, vêtus de noir, se tiennent au pied de notre lit.

– Mais... qui êtes-vous ? bafouille Grégoire en se frottant les yeux.

– On ne pose pas de questions. On se lève tous les deux, bien gentiment.

Celui qui a parlé passe sur le côté du lit. L'autre ouvre les tiroirs de la commode et commence à tout balancer par terre.

Je tombe. Je n'arrête pas de tomber. Dans un monde d'effroi, de sang, de mort. Il était là, ce monde. On en parlait partout, tout le temps, à la télévision ou ailleurs, mais il ne pouvait pas être pour nous.

Il l'est.

– Allez ! Debout !

Grégoire retire le bras qu'il avait passé autour de ma taille et met pied à terre. Il attrape ma robe de chambre sur le dossier d'une chaise et me la tend. Son regard cherche à me rassurer, ce que ne fait pas son visage : gris comme l'acier, dur comme la pierre.

J'ai du mal à enfiler ma robe de chambre tant je tremble.

– Maintenant, on va descendre dans le salon. N'essayez pas de vous enfuir ni de crier, ça ne servirait à rien.

Cette voix... Ne l'ai-je pas déjà entendue ? Où ? Quand ?

L'autre a terminé avec la commode. Il a mis mon sac en bandoulière et tient à la main le portefeuille de Grégoire ainsi que son portable. Je remarque seulement que nos agresseurs sont gantés : des professionnels.

– Allez. Sortez !

Moi devant, la main de Grégoire sur mon épaule, nous quittons la chambre.

Dans le couloir, toutes les portes sont ouvertes : l'étage a été visité.

Une idée terrifiante me pétrifie sur place : et si nous avions logé un enfant cette nuit ? Ils sont tous rentrés de vacances.

– Allez-y, madame. Avancez !

On me pousse sans douceur vers l'escalier.

– Ne bousculez pas ma femme, ordonne Grégoire.

Vacillant sur mes pieds nus, agrippée à la rampe, j'entame la descente, suivie par la respiration sifflante de mon mari : tachycardie ?

Dans le salon sens dessus dessous, seul un lampadaire est allumé. Ils ont fermé les volets. Ici aussi, ils sont déjà passés. La pendule indique un peu plus de quatre heures.

Sur la grande table où, lorsque nous étions montés nous coucher, il n'y avait qu'un bouquet de tulipes jaunes et blanches, s'entasse à présent tout un bric-à-brac : service à thé et couverts en argent, lecteur de cassettes des enfants, magnétoscope, mon portable…

Les vases de Gallé !

Et, soudain, je sais.

– Tous les deux sur le canapé !

Je sais à qui appartient cette voix avec son léger accent du Midi.

À un militaire : un gendarme.

L'homme venu, il y a peu, nous mettre en garde contre les saucissonneurs.

Et Grégoire a également reconnu la voix puisqu'en tombant près de moi sur le canapé il me souffle à l'oreille : « Chut ! »

Tandis qu'ils vident mon sac et son portefeuille sur la table, les souvenirs se pressent dans ma tête.

Deux ! Ils étaient bien deux, un grand et un petit. Un petit plutôt bavard, un grand muet.

« Jusque-là, ils n'ont pas molesté leurs victimes », nous avait indiqué le petit.

« On ne vous fera pas de mal », ses premières paroles prononcées il y a un instant.

C'est eux, sans aucun doute ! Et même si c'est absurde, ma peur s'atténue. Je ne suis plus tout à fait en terrain inconnu, un peu moins en terrain barbare. Je sais quels visages se cachent sous la terrifiante cagoule, quels corps sous l'habit des frères Jacques.

Mais comment sont-ils rentrés ?

Par la porte, pardi ! Avec la clé que j'ai tant reproché à mon pauvre homme d'avoir égarée alors que c'étaient eux qui nous l'avaient piquée : le képi soi-disant oublié…

De confusion, je baisse les yeux. De stupéfaction, je les relève. Grégoire a mis ses mules !

« Une minute, monsieur le bourreau, le temps de passer mes mules. »

Il les mettrait pour monter sur l'échafaud.

– Votre numéro de code, madame !

Le petit me brandit ma carte de crédit sous le nez. Le vouvoiement me rassure et m'inquiète à la fois. Dans les polars, à la télé, ce sont souvent les plus polis qui se révèlent les plus cruels : l'éducation...

– Donne-le-lui, ordonne Grégoire.

Je récite d'un trait les quatre chiffres du sésame. Cours numéro deux de musculation de mémoire : carte bancaire et code des portes de nos proches.

Le grand prend note dans un carnet. Peut-être est-il muet, en tout cas, pas sourd ! Le petit déploie à présent sous les yeux de Grégoire son bouquet de cartes personnelles : Vitale, Senior, VIP de la Marine nationale, membre de l'académie de Scrabble de Normandie.

– Et vous, monsieur ? Votre carte de crédit ?

Attention : piège !

Ce faux-jeton sait parfaitement que mon mari n'en possède plus. Il lui en a donné la raison l'autre jour : neurones défaillants. Le faux militaire cherche tout simplement à savoir si nous l'avons reconnu sous son déguisement.

– Je m'en suis débarrassé, répond Grégoire sans se trahir.

Le malfaiteur opine du bonnet et n'insiste pas. Bien vu !

Il se tourne vers moi.

– De l'argent liquide ?

Là, pas d'hésitation à avoir : Grégoire ne m'a-t-il pas indiqué la marche à suivre avec ma propre carte bancaire ? On donne tout.

– Dans la cuisine, en haut du placard de droite : *Recettes du Nord*, page 330 : « Choux rouges à la flamande ».

Tant pis, Grégoire saura ! La cachette était bien trouvée ; livre de recettes de maman et choux rouges dont Grégoire a horreur.

Mais pourquoi donc me regarde-t-il de cet air bizarre ? Suis-je allée trop loin ? Il ne peut ignorer qu'une totale franchise est notre sauvegarde. N'ayant rien caché de nos biens aux gendarmes lors de leur première visite, nous en récoltons les fruits cette nuit avec les saucissonneurs. Sachant que nous ne trichons pas, ils ne nous chaufferont pas la plante des pieds pour obtenir des trésors que nous ne possédons pas.

Le grand a disparu direction choux rouges. Près de la table, le petit écluse une bouteille d'eau sans nous lâcher de l'œil. J'ai soif. Que se passe-t-il dans sa tête, face aux deux pauvres vieux qui lui avaient accordé leur confiance ? Et proposé à boire... Le plus terrifiant, avec une cagoule, est que ça masque les sentiments.

Droit dans ses mules, le bras autour de mes épaules, Grégoire fixe d'un air sombre la bibliothèque, dans son bureau. Regretterait-il son Mac 50 ? Ça lui ferait une belle jambe s'il se trouvait encore sur la corniche !

D'ailleurs, mon cher M. Khu, le professeur de self-defence que je partageais autrefois avec Diane et Marie-Rose et n'aurais jamais dû quitter, nous déconseillait les armes : nous ne devions compter que sur nos propres forces, la puissance de notre regard... Ah, s'il me voyait à cet instant, il ne serait pas fier de son élève !

Revoici le grand frère Jacques, tenant dédaigneusement du bout des doigts les quelques biffetons taxés à la ménagère. Tout au plus deux cents euros, pas gras ! Il n'a pas choisi sa date, aussi : la fin du mois.

Le petit les empoche prestement.

– Des bijoux ?

La main de Grégoire me rappelle que nous avons également répondu à cette question-là : dans un coffre à la banque.

Je lève toutefois le doigt.

– Au garage. Sur l'étagère au-dessus de l'établi, dans un pot à confitures : fraises.

Le grand est déjà en route. Ne serait-ce ma position, les yeux exorbités de mon mari me feraient plier de rire. Il croit que j'ai perdu les pédales alors qu'à la vérité c'est la superstition qui a guidé mes pas lorsque j'ai planqué la bague d'Anastasia loin de ma vue. Cette bague est maudite ! Et moi qui ne savais comment m'en débarrasser, voilà une affaire réglée.

Elle diffuse ses mauvaises ondes au creux du gant noir tendu vers nous.

– Émeraude et or, indiqué-je avant qu'elle rejoigne l'argent du ménage et ma carte dans la poche du petit.

Gageons qu'elle ne lui portera pas bonheur.

Quoi qu'il en soit, si l'on ajoute au butin l'argenterie, les portables, le magnétoscope et surtout mes très chers Gallé, celui-ci est loin d'être négligeable.

Le regard de notre interlocuteur fait à présent le tour du salon, passant sans s'arrêter sur mes œuvres.

– C'est tout ? demande-t-il. Vous êtes bien sûre ?

– Parole d'honneur ! répond Grégoire en tendant la main.

Là, ça les scie. Le mot doit leur être inconnu.

Je lève le doigt.

– Pour ma part, j'ai une petite faveur à vous demander : puis-je aller aux toilettes ?

Ça scie Grégoire.

Pas le grand, qui se met à rire ; comme si j'avais demandé la lune ! Le rire mauvais de celui qui, dans son enfance, arrachait les ailes des mouches. Parions qu'il n'a pas eu de grand-mère pour le remettre au pas.

Le petit, si, car, pour la première fois il élève la voix.

– Bordel de merde, Ben ! tu as entendu madame ? Tu l'accompagnes, et vite !

Ben ? Tiens, tiens...

Grégoire y est allé aussi. Trop content. Par vengeance, Ben avait laissé la porte ouverte et ç'a été très humiliant pour moi qui n'aime pas qu'on m'entende. Grégoire, lui, s'en fout : les hommes !

Ils ont débarrassé la table dans deux gros sacs à pommes de terre datant de la dernière guerre, rangés par Grégoire dans les fameux « aucazou » du garage.

Cédant au syndrome de Stockholm – la reconnaissance du prisonnier envers le geôlier qui a la bonté de lui laisser la vie –, je ne quittais pas le petit des yeux.

La main de Grégoire, pressant tendrement la mienne, me disait que l'épreuve touchait à sa fin. Finalement, nous ne nous en serions pas trop mal tirés.

« Et même plutôt bien », m'a confirmé avec un clin d'œil doré le balancier de la pendule.

Benêts que nous étions, bécassins, ravis de la crèche !

Nous avions simplement oublié le nom que nos visiteurs s'étaient eux-mêmes donné.

Saucissonneurs !

Ce n'est que lorsque Ben, après s'être absenté un moment, est revenu avec deux énormes rouleaux de bande adhésive, que nous avons réalisé ce qui nous attendait.

J'ai bassement supplié : « S'il vous plaît, ne nous attachez pas. Nous ne donnerons pas l'alerte. Parole d'honneur. »

Hélas, cette fois l'honneur n'a pas marché.

Ils nous ont séparés, nous obligeant à prendre place dans des fauteuils. C'est mon pauvre mari qui a eu la primeur du traitement.

Stoïque, il se contentait de respirer de plus en plus fort, et, lorsque j'ai compris qu'ils avaient l'intention de lui clore aussi la bouche avec leur saloperie, la révolte a tout balayé en moi : peur, prudence et bonnes manières.

– Vous n'entendez pas ? Il est cardiaque, ai-je crié. Allez-y empêchez-le de respirer, comme ça vous aurez sa mort sur la conscience, bordel de merde.

Rien de tel qu'un langage commun pour rapprocher les êtres. Grand et petit se sont figés.

Grand a ri.

Petit a croisé mon regard.

C'est ainsi que Grégoire a eu droit à un simple bâillon de tissu et moi à un double tour de chatterton.

38

La peur. Feu et glace à la fois : feu dans la tête, glace dans le sang.

Peur du noir, d'étouffer, de mourir avant que l'on ait pu nous libérer.

Et mon cœur glacé à entendre, impuissante, les bruits affreux qu'émet Grégoire : grognements, ahanements, gémissements, sans pouvoir appeler à l'aide ni faire le moindre geste vers lui.

Son cœur qui lâche ?

– Victoire ! Ça a marché !

À son cri, le mien implose. Il s'est débâillonné ! Merci, oh, merci, mon Dieu !

– Et toi, ma Jo, ça va ? demande-t-il anxieusement.

Tandis qu'il se remplit de bon air à coup d'amples inspirations, j'émets un faible bruit avec mon nez pour le rassurer.

– Mmmmmmm.

– Un gars de la *Jeanne* qui m'avait donné le truc, m'explique-t-il. Une façon de positionner ta tête quand on te met le bâillon. Ouf !

J'exprime ma joie par un nouveau grognement et ma détresse par le suivant.

– Si seulement je pouvais t'aider, ma pauvre chérie, se désole Grégoire. Mais ces cochons-là ne m'ont pas fait de cadeau. On peut dire qu'ils méritent bien leur nom. Dire que nous ne nous sommes douté de rien. Quelles andouilles nous avons fait !

Andouilles... réduits en andouillettes, c'est le mot ! Un spasme nerveux remonte dans ma poitrine, explose en un hoquet qui m'arrache la bouche.

– Calme-toi, ma Jo, calme-toi, supplie Grégoire. Pense que nous sommes entiers, c'est l'essentiel ! Il va seulement nous falloir un peu de patience en attendant qu'on vienne nous libérer. Tu me comprends, au moins ?

– Mmmmmmm.

Le plus dur, c'est le noir. Je n'ai jamais supporté le noir. Seule petite lumière qui éclaire la nuit, le tic-tac doré de notre chère pendule.

– Quelle chance que les Karatine soient rentrés ! reprend mon mari d'une voix pleine de confiance destinée à me rassurer. Quand ils verront les volets du salon fermés, ils comprendront qu'il se passe quelque chose d'anormal.

Souffle d'espoir. Les volets, oui, Grégoire a raison. Nous ne les fermons que lorsque nous nous absentons. Et Charlotte est en effet rentrée avec sa troupe depuis trois jours. Les saucissonneurs devaient l'ignorer, l'enseigne étant restée éteinte. Nos Ruskofs profitent de leurs derniers jours de vacances avant réouverture de l'isba, début septembre. Grasse matinée pour tous : parents sous la couette, enfants devant télé ou ordinateurs, aucun nez à la fenêtre avant dix heures.

Dix heures ? Mon Dieu, mon cœur aura lâché bien avant. Et puis qui dit qu'ils s'inquiéteront en voyant les volets fermés ? Ils nous croiront en balade, c'est tout !

– Mmmmmmm.

– Attends, attends, réfléchissons, me répond Grégoire, sans doute en proie aux mêmes réflexions que moi. Avant-hier, quand ils sont venus déjeuner pour nous raconter leur voyage, qu'est-ce que nous leur avons raconté, déjà, sur nos projets de week-end ? Essaie de te souvenir...

Sa compète de Scrabble à Deauville.

– Mmmmmmm.

– Ça y est ! J'y suis : Deauville, le tournoi. Mais il a lieu samedi. Pas vendredi. Pas aujourd'hui... Nous sommes vendredi, rappelle-toi. Qui plus est, les enfants savent très bien que tu ne m'accompagnes jamais.

Ai-je perçu une pointe de regret dans la voix de Grégoire ? Son club de Scrabble, composé d'anciens marins, n'est pas ouvert aux femmes. Cela n'empêche pas Marguerite d'accompagner Maurice à toutes les compétitions. Elle le regarde s'amuser sans ouvrir le bec en brodant des motifs zen. Grégoire me la cite volontiers en exemple.

– Bref, quand les enfants verront les volets fermés, ça leur mettra forcément la puce à l'oreille. Bon Dieu, ça me gratte !

Nouveaux remous dans le fauteuil d'en face. S'il croit que moi, ça ne me démange pas ! Et une nouvelle peur m'étreint soudain.

Si j'avais une crampe. Je suis sujette aux crampes.

« Tu mens très bien, Babou », m'avait félicitée Gauthier après que j'ai prétexté en avoir une à Caen, lorsque les flics nous avaient agressés à l'arrêt du bus.

Le ciel va-t-il se venger ?

– Et n'oublions pas Audrey, reprend Grégoire, qui, depuis des semaines, ne s'est pas montré aussi disert. Tu connais ta fille, elle appellera.

Certainement pas ! Elle l'a fait hier. Elle consacre cette fin de semaine aux courses de la rentrée. Cartables, trousses, cahiers, livres, papier pour recouvrir les livres. Plus Gauthier que je lui ai fait promettre de ne pas quitter des yeux. Non, aucun secours à attendre du côté de notre aînée.

– Mmmmmmm.

– Je t'en supplie, ma Jo, du calme, du calme, je suis là. Et Thibaut ? Nous n'avons pas parlé de Thibaut.

Silence brutal. Suivi d'éclaircissements de gorge. Ça coince du côté de Thibaut.

– Mmmmmmm.

– Évidemment, il n'a plus la clé de la maison, me répond Grégoire. Comme tu t'en souviens peut-être, je la lui avais empruntée quand tu imaginais que j'avais égaré la mienne alors que c'étaient ces chiens qui me l'avaient volée. On s'est vraiment fait avoir comme des bleus. En tout cas, toi, bravo ! Bien joué ! poursuit-il, très en verve. Tu n'as pas montré que tu les avais reconnus. Et merci pour le bâillon.

Quand même !

Je tente de bouger un peu mes jambes scotchées l'une à l'autre, et mes bras, eux, liés au fauteuil ; les quelques millimètres accordés par les saucissonneurs. Ah, le salaud de Ben... Et l'autre traître ! Jamais je n'aurais cru ça de lui : nous abandonner comme ça.

– Et puis dis-toi qu'au pire, lorsqu'il ne me verra pas arriver samedi à Deauville, Maurice s'inquiétera. Il appellera, conclut Grégoire.

SAMEDI ? Nous serons morts depuis longtemps ! Au secours, mon Dieu.

Le sourd raclement de gorge de la pendule se fait entendre et elle sonne cinq coups.

– Alleluia ! s'écrie Grégoire, enthousiaste. Tu as entendu, ma chérie ? Cinq heures ! Il est cinq heures. Le jour dans soixante minutes. Nous pourrons nous voir. Crois-moi, ça changera tout. Tiens bon, je t'en supplie. Sois forte. (Il s'éclaircit la voix :) Et n'oublie pas que je t'aime.

Comme il l'a dit ! Du fond de l'âme. Comme il ne me l'avait plus dit depuis des années.

Des larmes coulent sur mon bâillon. Ça n'arrange pas les choses côté respiration, mais c'est doux.

Moi aussi, je t'aime, mon Grégoire. Et si nous nous sortons de cette horreur, je fais le vœu de te le dire au moins une fois par jour, même quand je te détesterai. Je t'accompagnerai à tous tes tournois de Scrabble et resterai près de toi sans m'énerver comme Marguerite. Je courrai chaque matin pour entretenir mon souffle. Et, bien sûr, nous installerons la plus perfectionnée des alarmes.

Un nouveau bruit... Est-ce que je rêve ou Grégoire ne vient-il pas de bâiller ? Non, je ne rêve pas, il réitère : un bon, grand, profond bâillement qui engage délicieusement tout le corps.

Va-t-il s'endormir ? Me laisser seule ? Au secours, maman !

« Tic-tac », fait la pendule.

« Tac-tic », répond mon aile en or. Tactique ?

« Il me suffisait de sortir le lingot de sa cachette pour partir là où je voulais », m'avait confié ma mère en me le remettant.

Ce n'était pas pour le poids du « métal jaune », ce vilain mot, qu'elle prenait plaisir à le caresser. Mais pour le poids du rêve et la liberté que son éclat lui offrait.

Liberté.

Je ferme les yeux et m'y accroche. Tic-tac.

Je rassemble le soupçon de force qui me reste pour aller chercher mon souffle le plus profond possible en moi, dans le souffle de la vie. Tic-tac, tic-tac. Je défais mes liens et me lève. Je marche vers la pendule. Tic-tac, tic-tac. J'ouvre la porte, me penche et soulève le couvercle de la cachette, sous le battant doré. Tic-tac, tic-tac, tic-tac.

Voici la pépite magique, tirée des profondeurs de la terre, de l'eau courante des rivières, de l'espoir que demain sera un autre jour. Tic-tac, tic-tac. Voilà la chanson du temps qui nous répète que cette Terre continue de tourner et que le soleil reviendra.

39

Un cri d'oiseau. Ai-je bien entendu ? J'ouvre les yeux.

Par les interstices des volets, par la lucarne à mi-escalier, un jour timide se glisse dans la pièce.

Terre ! Terre !

En face de moi, la momie dans ses bandelettes, c'est mon Grégoire ! Je referme les yeux, épuisée. Il me semble émerger moi-même d'un brouillard intense peuplé de cris. Est-il possible que j'aie dormi ? N'ai-je pas plutôt sombré dans un semi-coma ?

Mon corps est un arbre mort plongé dans un marécage. Moiteur, suffocation. Seule ma tête émerge. Je la bouge avec précaution. J'ai soif. Si soif ! J'essaie de passer la langue entre mes lèvres, c'est comme si ma bouche se déchirait. Je ne peux retenir un gémissement.

– Tu es réveillée ? demande Grégoire.

Oui ! Et, malgré le jour, ça ne va pas. Ça ne va pas du tout.

– Tout est ma faute, déclare mon mari.

Cette voix d'outre-tombe... Que lui arrive-t-il ? Où est passé son bel optimisme de cinq heures du matin ? Aurait-il réalisé, lui aussi, que personne ne viendra nous libérer ?

– Mmmmmm. Mmmmmm.

– Je ne veux pas parler de cette nuit, reprend-il de la même voix. Je veux parler de Gauthier. Il y a des choses que tu ne sais pas.

Gauthier ? Que vient faire ici Gauthier, Seigneur ! Est-ce bien le moment ?

– La veille du bac, il a débarqué ici, tu n'étais pas là, poursuit Grégoire. On s'était disputés...

Soudain, une faible alarme retentit dans ma pauvre cervelle.

« Plus jamais un mot sur le sujet »...

N'est-il pas en train de se produire ici, à cet instant même, ce que j'attendais depuis des semaines ? Grégoire rompt le silence.

Au prix d'un immense effort, je tente d'oublier ma soif, mes membres liés, l'ankylose, le marécage, pour laisser passer dans mon néocortex le souffle bienfaisant qui libérera ma mémoire : leçon 1.

Nous nous étions en effet disputés, Grégoire et moi, et j'étais allée me réconforter auprès de la mer, à Houlgate. J'en avais rapporté mon étoile-porte-bonheur.

– Je faisais le potager, continue la voix sépulcrale de la momie. Gauthier m'a rejoint. Il a commencé à me bassiner avec Ouistreham, les Bérets verts, le commandant Kieffer et la bonne leçon que j'avais donnée à mes parents. Quelle leçon ? je te le demande. J'étais jeune, j'avais envie de me battre, c'est tout. Je n'ai pas compris qu'il parlait de la leçon qu'il avait l'intention, lui, de donner à ses parents pour qu'ils arrêtent leurs conneries. Et au lieu de l'écouter, je lui ai répondu que plutôt que de débiter des sornettes, il ferait mieux de penser à son bac.

Mon mari s'interrompt. Je le distingue de mieux en mieux. Dans son pyjama de bagnard, tête baissée sur les bandelettes de la camisole de force. Entend-il seulement le concert qui s'élève dans le jardin ?

Pour moi, l'alerte rouge carillonne de plus belle. Je ne m'étais pas trompée ! C'était bien Gauthier la cause de son mutisme. Et j'en connais à présent la raison : malgré mes conseils maintes fois répétés, il avait envoyé son petit-fils aux pelotes la veille de son bac... Malin !

– Ce n'est pas tout, annonce-t-il. Tu n'as pas entendu le pire.

Mais je viens de le découvrir... Sur la table, près de la porte d'entrée, le téléphone noir décroché. Le salut ne nous viendra ni de Maurice ni des ondes.

– Ça s'est passé quand tu es descendue chez ta mère, tu te souviens ? demande Grégoire, me rattrapant sans le savoir au bord du désespoir (oublions tout ce qui n'est pas lui : il a besoin de moi). Les enfants sont venus me proposer de déjeuner là-haut : Gauthier, Adèle et Capucine. Là, il faut que je t'avoue quelque chose, j'étais en train de nettoyer mon Mac 50, une arme, ça s'encrasse vite, tu sais. Gauthier m'a demandé de lui donner des cours de tir et j'ai refusé, bien sûr. Mais tu le connais, quand il a une idée dans la tête... L'après-midi, il est revenu à la charge, seul, cette fois.

Nouveau silence. Si je pouvais parler, je lui révélerais que je savais, pour le Mac. Capucine m'avait avertie. C'est même ce qui m'avait fait rentrer à la maison.

– Je me reposais dans la chambre, reprend Grégoire. Il a frappé à la porte. Fallait-il qu'il soit perturbé pour oser... Il m'a dit qu'il voulait juste savoir comment une arme était faite. Ils peuvent bien s'abrutir devant tous les *Terminator* du monde, ils ne sont pas foutus de faire la différence entre un revolver et un pistolet, un barillet et un chargeur... Il disait qu'à son âge moi je savais, que j'avais de la chance. Il a insisté pour que je lui explique le maniement.

Grégoire respire fort. Je ne respire plus. Nous arrivons au pire, c'est clair. Il n'a quand même pas...

– Alors, comme un foutu crétin, pour me débarrasser de lui, j'ai sorti les balles du tiroir et je le lui ai montré. Peut-être bien aussi pour me venger de toi, avoue-t-il. Tu me manquais.

Voilà donc comment Gauthier a su où Grégoire planquait la boîte de balles – pour le Mac, tous les enfants sont au courant. Et lorsque, la veille du bac, son grand-père l'avait houspillé, Gauthier avait embarqué le tout pour se jouer en solo son petit jour J sur la plage.

Et un autre mystère s'éclaire : sa réponse au téléphone le même jeudi soir, lorsque je lui avais dit que son grand-père ne pouvait pas lui parler : « Je sais. »

« Je sais qu'il se fout de moi et de mon bac » ?

« Je sais qu'il ne m'aime pas » ?

Les enfants malheureux ont vite fait d'arriver aux conclusions les plus dévastatrices pour eux.

– Tu vois, tout est bien arrivé par ma faute, conclut Grégoire avec un soupir à fendre l'âme. J'ai failli à mon devoir.

Devoir... mot phare pour Grégoire. Comme je peux comprendre sa détresse ! Tandis que moi je me prenais bêtement la tête avec des « si » de rien du tout : « si j'avais accompagné mes amies en Guyane... », lui se dévastait la conscience avec les siens, autrement plus meurtriers.

Car, effectivement, s'il avait mieux reçu son petit-fils lorsqu'il était venu l'appeler à l'aide... Et s'il n'avait pas, comme un foutu crétin (c'est lui qui l'a dit), montré où il cachait les munitions, Gauthier ne serait pas, faute de matériel, allé tirer les mouettes sur la plage.

Mais se serait-il pour autant présenté à son examen ?

Je rassemble toutes mes forces, tout mon amour, et j'essaie d'attirer le regard du pauvre grand-père. Je voudrais tant pouvoir le prendre dans mes bras, le réconforter, lui dire qu'il n'est pas si coupable que ça...

Mais au même moment l'évidence me foudroie.

« Laisse tes enfants grandir »...

« Laisse ton mari vider son sac sans l'interrompre »...

Si Grégoire s'est enfin décidé à parler, à se libérer de son poison, c'est parce que moi je suis réduite au silence, bâillonnée, ligotée, avec juste mes oreilles pour entendre et pas ma langue trop bien pendue pour intervenir.

Il me refait le coup de Thibaut !

– J'espère qu'un jour tu voudras bien me pardonner, dit-il encore d'une voix lourde comme une grande marée.

Et ce déchirant remous que j'entends, c'est mon marin qui pleure.

40

Il était plus de neuf heures trente lorsque de délicieuses voix de fillettes, accompagnées par le divin jacassement de Lulu, nous ont appelés sur la terrasse.

– BABOU ? PACHA ?

Grégoire s'est mis à crier comme un sourd : « À l'aide ! À l'aide ! » Il y a eu un brusque silence, des conciliabules, puis plus rien.

– Ma Jo, nous sommes sauvés ! m'a-t-il annoncé.

Cela a été à mon tour de pleurer.

Très vite, la porte côté cour s'est ouverte et une tornade a balayé le salon, les Karatine au grand complet.

Découvrant les momies, Charlotte a poussé un cri et s'est effondrée sur le canapé.

– SVOLOTCH ! a hurlé Boris (les salauds) en se précipitant sur nous.

– Puisque je vous dis que tout va bien, tout va TRÈS BIEN, ne cessait de répéter Grégoire.

Une fois n'est pas coutume, la petite classe restait muette.

C'est lorsque mon gendre s'est mis en tête de me débâillonner – « On va y aller d'un coup, Babou, ce sera moins douloureux, courage ! » – que je suis tombée dans les pommes.

Il paraît que Charlotte voulait nous conduire tout droit à l'hôpital mais que Grégoire s'y est opposé. C'est ainsi que je me suis retrouvée entre les mains du bon docteur Vérat, notre généraliste.

Ayant constaté que nos cœurs fonctionnaient normalement, même celui de mon tachycardiaque, et que nous ne portions aucune trace de coups – seules les meurtrissures inhérentes au chatterton –, il s'est contenté de me prescrire une mixtion apaisante pour ma bouche, couleur fruits de la passion, et pour le couple énormément d'eau – réhydratation – et un grand repos. Il nous a également vivement conseillé un suivi psychologique, les stigmates d'un tel traumatisme risquant d'affecter longtemps nos méninges.

Puis il s'est attaqué au reste de la famille, très éprouvé.

Les gendarmes se sont déplacés pour recueillir nos témoignages, un grand et un petit, mais le grand, lui, parlait. Nos saucissonneurs étaient connus au bataillon. Pour repérer les lieux, ils empruntaient en effet l'uniforme. « Ben » était un nouvel indice du plus grand intérêt.

Nous avons dressé la liste de ce qu'ils avaient emporté. Lorsque le petit a demandé, avec son léger accent méridional : « C'est tout ? Vous êtes bien sûrs ? », un frisson m'a parcourue.

Ce sont les traces de la méfiance qui auront du mal à s'effacer de ma mémoire, même si j'ai toujours aimé l'uniforme, à preuve, Grégoire !

Le modeste contenu de ma carte bancaire avait déjà été éparpillé entre plusieurs grandes surfaces, rayon hi-fi, lorsque j'ai fait opposition.

La nouvelle de notre aventure s'est vite répandue alentour, aussi, après avoir pris les bains les plus agréables et utiles de notre vie, mon mari et moi avons reçu toute la journée, tels les héros d'un film d'horreur.

Grégoire, toujours très en verve, racontait à l'envi mon « Bordel de merde », qui l'avait sauvé de l'étouffement. Charlotte se félicitait d'avoir envoyé les enfants nous convier à déguster chez elle des sardines à la cosaque, sa grande spécialité : trois sardines par personne, vin blanc, citron et, le plus important, soixante-quinze grammes de crème aigre (préparation pour six personnes).

Capucine, Adèle et Tatiana, qui n'avaient pas entendu les cris de leur grand-père, se vantaient, à juste titre, de nous avoir sauvé la vie en donnant l'alerte lorsqu'elles avaient remarqué que les rideaux de notre chambre étaient fermés à plus de neuf heures du matin, alors que Babou est toujours debout aux aurores !

Le monde appartient bien à ceux qui se lèvent tôt.

Audrey a apporté des fleurs, Gauthier a déclaré : « C'est *Terminator 4* », Thibaut en avait vu d'autres au Brésil, mais il était quand même soulagé que nous nous en soyons sortis entiers. Justino regardait son grand-père avec une admiration renouvelée. Lui, au contraire de moi, avait réussi à se débâillonner.

Bref, une journée très animée.

Deux excellentes raisons nous ont conduits, mon mari et moi, à renoncer au suivi psychologique préconisé par le docteur Vérat.

Sitôt que l'angoisse monte, l'un ou l'autre n'a qu'à prononcer : « Bordel de merde » pour que le rire l'emporte. À chacun son Prozac.

Mais surtout, en forçant le caisson blindé dans lequel Grégoire avait enfermé son remords, nos saucissonneurs ne nous avaient-ils pas offert le plus précieux des cadeaux ?

41

Grégoire, trois kilos huit, fils d'Audrey et de Jean-Eudes, est venu au monde à six heures du matin, le 20 décembre dernier.

Les Sagittaires sont signes de feu tempéré. Amoureux de grands espaces, ils sont persévérants et attachés aux valeurs.

Tout moi !

En ce matin d'avril, bien que ce ne soit pas la saison, mais faisant confiance à l'amour pour la suite, nous avons planté le chêne de notre nouvel arrivant. Il faisait un beau temps normand, le vent brassait de revigorantes odeurs de pluie, poussés par la marée montante, des nuages épais couraient dans un ciel revêtu de toutes les nuances de gris.

Excepté maman et Hugo, qui avaient envoyé un SMS à Audrey, et nos Anglais, tout le monde était là : les sept arbrisseaux pliés de rire en lisant le prénom de leur grand-père sur l'écriteau devant la tige fragile.

Passons sur les plaisanteries idiotes dont Gauthier, qui se présentera à son « vrai » bac dans quelques semaines, était, comme d'hab, le champion.

Jean-Eudes, transfiguré par la paternité, y est même allé de son couplet. Il a déclaré que si par bonheur Audrey lui donnait un jour une fille il la prénommerait Joséphine.

Là, toute la troupe s'est écroulée par terre.

Nous avons de bonnes nouvelles de Londres. Anastasia s'est lancée dans le théâtre : *Mais ne te promène donc pas toute nue,* de Georges Feydeau. Elle commence fort ! Dimitri nous a envoyé le programme et quelques articles qui la disent irrésistible.

Un bon conseil, Camilla : « Ayez l'œil ! » « Et vous, Charles, prenez garde à Votre Majesté. »

J'ai repris mes cours de musculation de mémoire avec Diane et Marie-Rose : un bon moyen de garder son sang-froid dans la tourmente. À propos de sang-froid, nous embarquerons toutes les trois fin juin prochain pour le Groenland. À défaut de caïmans noirs, nous pourrons admirer des ours blancs.

La position debout étant perçue par ces mammifères, carnivores à longue fourrure et queue plate, comme de l'agressivité, il est conseillé, en cas de rencontre inopinée, de ne pas hésiter à se jeter à plat ventre sur la glace. Ça va être gai ! Et, pour ma palette, côté couleurs...

Bien que tout peintre qui se respecte sache que le blanc-blanc n'existe pas, pas plus que le noir-noir. Ils sont toujours mêlés d'autres couleurs.

Comme la conscience des hommes.

Depuis quelque temps, nos charmantes petites-filles se livrent au grand jeu à la mode : les tests !

Le dernier auquel Grégoire et moi avons été soumis s'intitulait :

ÊTES-VOUS DES GRANDS-PARENTS RELOU

(Relou = lourd.)

Plusieurs questions m'ont particulièrement intéressée.

« Regardez-vous les émissions telles que *Loft Story, Nice People, Star Academy* (entre autres). »

Et pan pour les Réville !

J'ai bien ri à la question qui demandait si nous mettions un cadenas à notre réfrigérateur. Pas vraiment le genre de la maison ! Nous avons préféré offrir le leur à nos doryphores, ce qui ne les empêche pas de venir croquer en douce quelques extra dans le nôtre. Une façon détournée de leur apprendre à goûter de tout.

Bien sûr, nous n'avons pas échappé aux classiques :

« Cherchez-vous à parler sexe avec eux ? »

Certainement pas : ils en savent plus que nous.

« Leur répétez-vous que la maison n'est pas un hôtel ? »

Nous sommes plutôt heureux qu'elle le soit.

« Allez-vous les chercher à l'école sans en avoir été priés ? »

Aïe !

Le calcul des points ayant été établi, nous avons obtenu, mon homme et moi, la moyenne. Nous sommes des grands-parents comme les autres. Salut, les amis !

Je n'ai avoué à personne que ce test m'avait aidée à faire le point avec moi-même.

« Arrête, maman. T'es lourde ! »

Mieux vaut être parfois lourde qu'absente.

Relou que lourder ses enfants.

Je tiens parole et dis chaque jour à Grégoire que je l'aime, le plus souvent tout bas pour qu'il ne se lasse pas. C'est lui qui m'a suppliée de ne plus l'accompagner à ses joutes de Scrabble. À chaque fois que je trouvais un meilleur mot que lui (tout le temps) j'entrais en ébullition. L'épouse n'étant pas autorisée au plus petit soupir, cela tournait au vinaigre. Et n'ayant pas, pour me calmer, comme Marguerite, le goût de la broderie zen, je me suis volontiers inclinée.

J'entretiens mon souffle en trottinant chaque jour autour de la chêneraie et ne manque jamais d'adresser un clin d'œil de connivence à l'arbrisseau nouveau, source de tant d'émotions. Un jour, mon chéri, je te raconterai.

Quant à l'alarme installée dans une maison-hôtel, ou une maison-moulin (au choix), c'est une catastrophe. Elle ne cesse de sonner. Pour un peu, elle damerait le pion aux *Bateliers de la Volga*.

– Mais qu'as-tu donc à regarder tout le temps cette pendule ? m'a demandé Grégoire l'autre soir. Avoue que, finalement, elle te plaît plus que ton cartel !

– J'aime m'envoler sur son balancier, ai-je répondu sobrement.

Ça le lui a cloué quelques secondes.

– T'envoler ? Voyez-moi ça ! Et peut-on savoir où tu atterris ?

– Dans un palace en Suisse.

Il s'est gratté derrière l'oreille. Puis :

– N'importe quoi, cette femme, s'est-il amusé, car lorsqu'on a rencontré le pire, on s'amuse d'un rien.

Pourvu que ça dure !

J'ai entamé une nouvelle toile, tout banalement des fleurs. Non, non, Diane, pas des fleurettes ! Breughel et, plus près de nous, Vlaminck n'ont-ils pas peint de fort beaux bouquets ?

Aujourd'hui, jeudi, jour des grands-mères, je dis ça comme ça, j'ai mis la pancarte « Ne pas déranger » à la porte de mon atelier et prépare ma palette quand mon portable (fête des Mères) sonne. Zut !

À l'autre bout du fil, une petite voix : Tatiana.

– Allô, Babou, viens vite ! Devine quoi...

FIN

Impression réalisée sur CAMERON par
BRODARD ET TAUPIN
La Flèche

pour le compte des Éditions Fayard
en février 2004

Imprimé en France
Dépôt légal : février 2004
N° d'édition : 42601 – N° d'impression : 22301
ISBN : 2-213-61863-1
35-33-2063-2/01